Como Ouvir a voz de Deus

JOYCE MEYER

Como Ouvir a voz de Deus

Aprenda a conhecer a voz de Deus e a tomar as decisões certas

Belo Horizonte

Edição publicada mediante acordo com FaithWords, New York, New York. Todos os direitos reservados.

Diretor
Lester Bello

Autora
Joyce Meyer

Título Original
How to Hear From God

Tradução
Maria Lucia Godde Cortez/ Idiomas & Cia

Revisão
Idiomas & Cia

Diagramação
Julio Fado
Ronald Machado (Direção de arte)

Design capa (adaptação)
Fernando Rezende
Ronald Machado (Direção de arte)

Impressão e Acabamento
Promove Artes Gráficas

BELLO
PUBLICAÇÕES

Av. Silviano Brandão, 1702
Horto - CEP 31.015-015
Belo Horizonte/MG - Brasil
contato@bellopublicacoes.com
www.bellopublicacoes.com.br

© 2003 Joyce Meyer
Copyright desta edição
FaithWords

Publicado pela
Bello Comércio e Publicações Ltda-ME
com a devida autorização de
Hachette Book Group USA e
todos os direitos reservados.

Primeira edição – Março de 2010
6ª Reimpressão – Fevereiro de 2018

Nenhuma parte desta publicação poderá ser reproduzida, distribuída, ou transmitida por qualquer forma ou meio, ou armazenada em base de dados ou sistema de recuperação, sem a autorização prévia por escrito da editora.

Exceto em caso de indicação em contrário, as citações bíblicas foram extraídas da Bíblia Sagrada Nova Versão Internacional, 2000, Editora Vida. Outras versões utilizadas: ARA (Almeida Revista e Atualizada, 1993, SBB), ARC (Almeida Revista e Corrigida, 1969, SBB) e AMP (Amplified Bible, 1987, Lockman Foundation. Os versículos foram traduzidos livremente, em virtude da inexistência desta versão em língua portuguesa).

Publicação em acordo com as orientações do NOVO ACORDO ORTOGRÁFICO DA LÍNGUA PORTUGUESA, em vigor desde janeiro de 2009.

Dados Internacionais de Catalogação na Publicação (CIP)
(Câmara Brasileira do Livro, SP, Brasil)

Meyer, Joyce
M612   Como ouvir a voz de Deus: aprenda a
conhecer a voz de Deus e a tomar as decisões
certas / Joyce Meyer; tradução de Maria
Lucia Godde Cortez /Idiomas e Cia. – Belo
Horizonte: Bello Publicações, 2018.
244 p.
Título original: How to hear from God.

ISBN: 978-85-61721-52-7

1. Palavra de Deus. I. Título.

CDD: 234.2
CDU: 230.112

Índice

INTRODUÇÃO   7

PARTE UM: *Aprendendo a Ouvir*   11

1. Deus Fala com as Pessoas Todos os Dias   13

2. Crie uma Atmosfera Propícia a Ouvir a Voz de Deus   29

3. Deus Fala Através da Revelação Sobrenatural   45

4. Deus Fala Através das Coisas Naturais   63

5. Deus Fala Através da Paz Interior   79

6. Deus Fala Através da Convicção   93

7. Desenvolva um "Ouvido Treinado"   105

PARTE DOIS: *Aprendendo a Obedecer*   119

8. A Obediência Mantém a Nossa Consciência Sensível   121

9. Conhecemos Apenas em Parte   139

10.Deus Abre e Fecha Portas de Oportunidade   155

11.Impedimentos para Ouvirmos a Voz de Deus   167

12.Mantenha o Seu Receptor Livre do Enganador   191

13.Santifique os Seus Ouvidos para o Senhor   209

14.Desfrute de uma Vida Guiada pelo Espírito   225

NOTAS   241

SOBRE A AUTORA   243

Introdução

Aprender a ouvir a voz de Deus e ser dirigido pelo Espírito Santo é muito empolgante. Deus quer falar conosco sobre o plano que tem para as nossas vidas. Este plano é muito bom, mas corremos o risco de perdê-lo se não aprendermos a ouvir e a obedecer à voz de Deus.

Se nós falamos com os nossos filhos o tempo todo, por que nosso Pai celestial não falaria com os Seus filhos? Não esperaríamos que nossos filhos soubessem o que queríamos que eles fizessem se não falássemos com eles, então, por que em relação a Deus seria diferente?

Deus quer falar conosco sobre o bom plano que tem para as nossas vidas. Ele enviou o Seu Espírito Santo para habitar em nós e ser nosso Conselheiro e Ajudador, além de outras coisas. João 14:26 diz que o Espírito Santo nos ensinará todas as coisas e trará à nossa memória as coisas que Deus nos ensinou. Ele é o Espírito da Verdade; portanto, nos conduzirá à verdade, e não ao erro.

Deus fala conosco de muitas maneiras. Estas são apenas algumas formas, mas Ele não está limitado a elas: A Sua Palavra, a natureza, as pessoas, as circunstâncias, a paz, a sabedoria, a intervenção sobrenatural, os sonhos, as visões, e o que chamamos de testificação interior. A testificação interior pode ser melhor descrita como aquela "certeza" dentro de nós. Ele também fala através do que a Bíblia chama de uma voz mansa e suave, que acredito também se referir a esta testificação interior.

Deus também fala através da nossa consciência, dos nossos desejos, e de uma voz audível. Ouvi a voz de Deus de forma audível apenas três ou quatro vezes em minha vida. Duas dessas vezes aconteceram à noite, quando fui acordada por Sua voz simplesmente chamando meu nome. Tudo que ouvi foi "Joyce", mas sabia que era Deus me chamando. Ele não disse o que queria, mas soube instintivamente que tinha algo a ver com um chamado ministerial, embora a clareza sobre essa área da minha vida só tenha surgido vários anos depois dessa experiência.

Ouvi a voz audível de Deus no dia em que fui cheia com o Espírito Santo, em fevereiro de 1976. Naquela manhã, clamei a Deus dizendo o quanto minha vida era terrível e disse-lhe que algo estava faltando em meu relacionamento com Ele. Posso dizer que me sentia no fundo do poço.

Sua voz pareceu encher todo o meu carro, e Ele disse simplesmente: "Joyce, tenho ensinado a você a paciência". Como era a primeira vez em que ouvia algo dessa magnitude, aquilo me chocou e me emocionou. Eu soube instintivamente o que Ele queria dizer. Vários meses antes daquele momento, eu havia pedido a Deus para me ensinar a paciência, mas não percebi que a lição incluiria um longo período em que sentiria que minha vida estava em compasso de espera. A frustração daquele sentimento chegou ao auge naquela manhã de fevereiro, quando clamei a Deus em desespero, pedindo a Ele que fizesse alguma coisa e me desse o que quer que estivesse faltando.

Quando ouvi Sua voz, de repente fui cheia da fé de que Ele faria algo maravilhoso em minha vida. Embora não soubesse o que seria, passei o dia em expectativa e agradecimento. Naquela noite em meu carro, quando voltava para casa do trabalho, o Espírito de Deus tocou-me de uma forma especial e encheu-me com a Sua presença. Esse acontecimento foi o começo de um novo nível em meu relacionamento com Deus. Creio que posso dizer que cada novo nível em nosso relacionamento com Deus é precedido por um instante no qual Ele fala conosco de alguma maneira.

Peça a Deus para abrir seus ouvidos e santificá-los, para que você possa ser sensível à Sua voz. Ele quer falar com você e desenvolver com você um relacionamento mais íntimo. É seu privilégio e seu direito, como crente em Jesus Cristo nascido de novo, ter comunhão diária com Deus Pai, com Seu Filho Jesus Cristo, e com o Espírito Santo.

Devemos pedir a Deus para circuncidar nossos ouvidos para que não sejamos distraídos pelos desejos carnais que nos impedem de ouvir a Sua voz mansa e suave. Precisamos aprender a ouvir, pois é impossível ouvir sem escutar. Devemos aprender a amar a solidão e nos certificarmos de desfrutar dela regularmente. Não ouvimos Deus falar muito bem quando nossas vidas são barulhentas e excessivamente ocupadas. Este livro o ajudará a aprender a criar uma atmosfera em sua vida que seja um condutor para que você possa ouvir a voz de Deus.

A Bíblia nos diz que os nossos passos são firmados pelo Senhor (ver Salmo 37:23), e podemos confiar que Ele não permitirá que nos desviemos do caminho. Neste livro, compartilharei com você como vencer alguns das coisas que nos impedem de ouvir Deus falar e como desenvolver uma consciência sensível que esteja sintonizada com a voz de Deus.

Este livro ajudará você a desfrutar do prazer de viver uma vida dirigida pelo Espírito. Ele lhe mostrará como ouvir a voz de Deus e não permitir que Satanás, o enganador, faça com que você se desvie.

Parte 1

APRENDENDO A OUVIR

Portanto, considerem atentamente como vocês estão ouvindo. A quem tiver, mais lhe será dado; de quem não tiver, até o que pensa que tem lhe será tirado.

- PALAVRAS DE JESUS EM LUCAS 8:18

Deus *Fala com as Pessoas Todos os Dias*

O mundo em que vivemos torna fácil encher nossos ouvidos com todo tipo de coisas que abafam a voz de Deus e o empurram para longe, para uma parte secundária de nossas vidas. Entretanto, para todas as pessoas chegará o dia em que apenas Deus restará. Tudo o mais na vida finalmente passará; e quando isso acontecer, Deus ainda estará lá.

A Palavra de Deus nos ensina que aquilo que podemos conhecer acerca de Deus está evidente a todos os homens, porque Ele se fez conhecido na consciência interna da humanidade (ver Romanos 1:19-21). Um dia, todas as pessoas comparecerão diante Dele e prestarão contas de suas vidas (ver Romanos 14:12). Quando as pessoas não querem servir a Deus com suas vidas e desejam seguir o seu próprio caminho, elas encontram formas de se esconderem e ignorarem o conhecimento interior instintivo que possuem do seu Criador, que deseja falar com elas e dirigi-las no caminho que devem seguir.

Nada pode satisfazer o nosso anseio por Deus, exceto a comunhão e a intimidade com Ele. Isaías expressou bem a nossa fome por Deus quando escreveu: "A minha alma suspira por Ti durante a noite; e logo cedo o meu espírito por Ti anseia" (Isaías 26:9). O apóstolo João escreveu: "Ora, o mundo passa e desaparece, bem como a sua concupiscência (os desejos apaixonados, a luxúria); aquele, porém, que faz a vontade de Deus e executa os Seus propósitos em sua vida permanece para sempre" (1 João 2:17, AMP).

Ouvir a voz de Deus é vital para desfrutarmos Seu plano eterno para nossas vidas. Ouvir a Deus é uma decisão pessoal; ninguém pode fazer isso por nós. Deus não nos *forçará* a escolhermos a Sua vontade, mas fará tudo que puder para nos *encorajar* a dizer sim aos Seus caminhos. Deus quer envolver-se até nos mínimos detalhes de nossas vidas. Sua Palavra nos diz que devemos reconhecê-lo *em todos os nossos caminhos*, e Ele endireitará as nossas veredas (ver Provérbios 3:6). Reconhecer Deus é se importar com o que Ele pensa e pedir a opinião Dele. O versículo 7 de Provérbios 3 diz: "Não seja sábio aos seus próprios olhos". Em outras palavras, nem sequer pense que você pode governar a sua vida e fazer um bom trabalho sem a ajuda e a direção de Deus. A maioria de nós demora demais para aprender esta importante lição.

Embora eu amasse Jesus sinceramente, frequentei a igreja durante anos sem saber que Deus fala com as pessoas. Seguia todas as regras religiosas e todos os feriados religiosos, e ia à igreja todos os domingos. Eu realmente estava fazendo tudo que sabia fazer naquela época, mas não era o bastante para satisfazer o meu anseio por Deus.

Eu poderia ter passado cada minuto do meu tempo na igreja ou participando de um estudo bíblico, mas isso não teria saciado minha sede por uma comunhão mais profunda com o Senhor. Precisava falar com Ele sobre meu passado e ouvi-lo falar comigo sobre meu futuro. Mas ninguém me ensinou que Deus queria falar diretamente comigo. Ninguém oferecia uma solução para os sentimentos de insatisfação que havia dentro de mim.

Lendo a Palavra, aprendi que Deus realmente deseja falar conosco e que Ele tem um plano para nossas vidas que nos conduzirá a um lugar de paz e contentamento. É a vontade de Deus que cheguemos ao conhecimento do Seu plano através da Sua direção divina. Parece um princípio bastante simples, mas creio que há muitas pessoas que ainda questionam se Deus realmente fala com as pessoas. E se acreditam que Ele fala, elas se perguntam:

- Deus está realmente envolvido em dirigir nossas vidas diariamente?

DEUS FALA COM AS PESSOAS TODOS OS DIAS

- Ele realmente deseja estar envolvido em cada pequeno detalhe de nossas vidas?

- Devemos importunar Deus e esperar ouvir a Sua voz somente com relação a assuntos de maior importância com os quais não conseguimos lidar sozinhos?

A Bíblia nos ensina que Deus tem um plano para todos aqueles que colocarem a sua fé em Jesus Cristo como Senhor de suas vidas. O Seu plano é completo em cada detalhe, e conduzirá todos os que o seguirem a uma vida abundante.

Contudo, estou convencida de que poucas pessoas desfrutam da realização do plano perfeito de Deus para suas vidas porque a maioria não sabe como ouvir a direção de Deus e segui-lo. Em vez disso, elas optam (seja voluntariamente ou por ignorância) por seguirem o seu próprio caminho. Mais pessoas poderiam andar dentro da vontade perfeita de Deus se elas aprendessem como ouvir a Deus e seguir as Suas instruções.

Nunca hesite em levar a Deus aquilo que você pensa que são pequenas coisas; afinal, *tudo* é pequeno para Deus. Às vezes agimos como se achássemos que exigiremos demais da capacidade de Deus se pedirmos ajuda a Ele em tudo. Lembro-me de uma mulher que veio falar comigo para pedir-me para orar por ela. Ela queria saber se haveria algum problema em pedir duas coisas a Deus; caso houvesse, ela me garantiu que pediria apenas uma!

Ele tem um plano para as nossas vidas que nos conduzirá a um lugar de paz.

É crucial conhecer o que a Bíblia diz sobre o papel de Deus em sua vida, porque ela confirma o Seu plano divino de estar intimamente envolvido com tudo que diz respeito a você. "Porque sou Eu que conheço os planos que tenho para vocês, diz o Senhor, planos de fazê-los prosperar e não de lhes causar dano, planos de dar-lhes esperança e um futuro. Então vocês clamarão a Mim, virão orar a Mim, e Eu os ouvirei. Vocês me procurarão e me acharão quando me procurarem de todo o coração. Eu me deixarei ser encontrado por vocês, declara o Senhor" (Jeremias 29:11-14).

ESPERE QUE ELE FALE COM VOCÊ

Jesus disse aos Seus discípulos: "Tenho ainda muito que lhes dizer, mas vocês não o podem suportar agora. Mas quando o Espírito da verdade vier, Ele os guiará a toda a verdade" (João 16:12-13). Ele também disse que o Espírito Santo continuaria a nos ensinar todas as coisas e traria à nossa memória tudo o que Deus declarou em Sua Palavra (ver João 14:26).

Quando disse estas palavras, Jesus estava falando a homens com quem havia passado os três anos anteriores. Eles haviam estado com Ele dia e noite, mas Ele ressaltou que tinha mais coisas a ensinar-lhes. Se Jesus tivesse permanecido conosco pessoalmente por três anos, dia e noite, talvez pensássemos que teríamos aprendido tudo que há para se aprender. Acredito que se eu passasse um mês com as pessoas, sem interrupções, poderia dizer a elas tudo o que sei. Mas Jesus disse que deveríamos esperar mais, porque Ele sempre terá algo a nos dizer sobre novas situações que estamos enfrentando.

Jesus sempre soube qual era a coisa certa a fazer porque Ele só fazia o que via Seu Pai fazer. Como nosso Senhor, podemos confiar que Ele nos guiará ao caminho certo todos os dias. Ele é o Filho unigênito de Deus, mas nós também somos filhos e filhas adotados de Deus, e devemos imitá-lo em tudo que fizermos. Ele se fez carne e enfrentou todas as coisas que nós enfrentamos, por isso entende as nossas necessidades. Ele foi batizado com o Espírito Santo, assim como nós devemos ser batizados com o Espírito Santo (ver João 1:32-33). E era dirigido pelo Espírito, assim como nós podemos ser dirigidos pelo Espírito Santo, porque Ele subiu ao céu e enviou o Espírito Santo para nos conduzir e guiar.

Ele é o nosso Guia, o nosso Mestre da verdade, o nosso Conselheiro, e o nosso Ajudador.

Em João 16:13, Jesus continuou a explicar a obra do Espírito Santo em nossas vidas, dizendo: "Mas quando o Espírito da verdade vier, ele os guiará a toda a verdade. Não falará de si mesmo; falará apenas o que ouvir, e lhes anunciará o que está por vir".

O livro de João oferece um estudo abrangente sobre a promessa de Deus de nos guiar intimamente. No capítulo 6, Jesus disse: "Está escrito nos Profetas: 'Todos serão ensinados por Deus'. Todos os que ouvem o Pai e dele aprendem vêm a mim" (v. 45).

Deus sabia que precisaríamos de ajuda para compreender o Seu plano para nós, por isso enviou o Espírito Santo para habitar dentro de todo cristão. Ele é o nosso Guia, o nosso Mestre da verdade, o nosso Conselheiro, e o nosso Ajudador. Ele também é o nosso Consolador, ou *parakletos*, que é explicado no *Vine's Expository Dictionary* como alguém que é "chamado para andar ao lado de alguém".[1] Este termo "foi usado em um tribunal de justiça para indicar um assistente jurídico, conselho para a defesa, um advogado... que pleiteia a causa de outro, um intercessor".[2] O Espírito Santo promete nunca nos deixar ou nos abandonar. Podemos viver a vida abundante se aprendermos a *ouvi-lo*. Jesus disse que era melhor para nós que Ele partisse, porque se Ele não fosse, o Conselheiro (o Espírito Santo) não viria (ver João 16:7). Jesus estava confinado a um corpo assim como nós estamos, e só podia estar em um lugar de cada vez. Mas o Espírito Santo pode estar em cada um de nós em todo lugar aonde formos, o tempo todo, dirigindo e guiando individualmente cada um de nós. Em João 14:15-20, Jesus explicou:

> Se vocês Me amam, obedecerão aos Meus mandamentos. E Eu pedirei ao Pai, e Ele lhes dará outro Conselheiro para estar com vocês para sempre, o Espírito da verdade. O mundo não pode recebê-lo, porque não o vê nem o conhece. Mas vocês o conhecem, pois Ele vive com vocês e estará em vocês. Não os deixarei órfãos; voltarei para vocês. Dentro de pouco tempo o mundo não me verá mais; vocês, porém, me verão. Porque Eu vivo, vocês também viverão. Naquele dia compreenderão que estou em Meu Pai, vocês em Mim e Eu em vocês.

Jesus disse que Ele próprio viria para nós e que nós perceberíamos que Ele está *em* nós.

ESPERE OUVI-LO

Através de Cristo, e do poder do Seu Espírito Santo, Deus quer falar com você individualmente, todos os dias. Ele deseja guiá-lo passo a passo às coisas boas que tem preparado para você. Ele se importa com os mínimos detalhes da sua vida. Ele até mantém a contagem de quantos cabelos você tem em sua cabeça! (ver Mateus 10:30). Ele se importa com os desejos do seu coração. E Ele quer revelar verdades a você que o libertarão da preocupação e do medo. O Seu plano de compartilhar um relacionamento de intimidade com você existia antes mesmo de você nascer. O salmista disse de Deus: "Os Teus olhos viram o meu embrião; *todos os dias determinados para mim foram escritos no Teu livro antes de qualquer deles existir"* (Salmo 139:16, ênfase da autora).

No livro de Atos, o apóstolo Paulo disse acerca de Deus: "De um só fez Ele todos os povos, para que povoassem toda a terra, *tendo determinado os tempos anteriormente estabelecidos e os lugares exatos em que deveriam habitar.* Deus fez isso para que os homens o buscassem e talvez, tateando, pudessem encontrá-lo, embora não esteja longe de cada um de nós" (Atos 17:26-27, ênfase da autora).

Não é lógico que, se Deus conhece todos os nossos dias e sabe onde vamos viver antes mesmo de nascermos, é importante aprendermos a ouvir a voz Dele? Ouvir a voz de Deus não é apenas empolgante, mas também nos mantém na trilha certa.

Em Mateus 7:13-14, Jesus falou de um caminho estreito que conduz à vida e de um caminho largo que conduz à destruição, e nos disse para ficarmos no caminho estreito. Se pudermos discernir a voz de Deus, conseguiremos saber se estamos nos desviando para a trilha errada, e corrigir nosso trajeto antes de colhermos os resultados negativos provenientes de uma decisão errada.

Ouvir a voz de Deus ao longo do dia tornou-se um modo de vida natural para mim desde que recebi a plenitude do Espírito Santo que Jesus prometeu enviar para nós. O Pai concederá o dom do Seu Espírito a todos os que pedirem (ver Lucas 11:13), e o Espírito Santo nos ajudará a compreender a Bíblia para que saibamos como aplicar sua sabedoria às nossas vidas (ver João 14:26). Quero enfatizar novamente que todos nós *podemos* ouvir a voz de Deus e ser guiados pelo Espírito Santo *diariamente*. Parece incompreensível que Deus possa ter um plano para cada pessoa na terra, mas também nos traz uma grande paz saber que Ele pode pegar o nosso caos e transformá-lo em algo significativo e de valor. O plano de Deus é revelado através de um relacionamento íntimo com Ele.

Se você deseja conhecer Deus de uma forma mais profunda, recomendo que leia meu livro *Knowing God Intimately* (Conhecendo a Deus na Intimidade). Neste livro, compartilho em detalhes como podemos ser tão íntimos de Deus quanto desejarmos.

DEUS NOS OFERECE UMA PARCERIA PARA TODA A VIDA

Certo dia, li o Salmo 49:14 e ele alegrou meu coração. Ele diz que Deus será o nosso guia até à morte! Que maravilha saber que temos um guia para nos levar de um destino nesta vida até o próximo. Às vezes, quando meu esposo Dave e eu viajamos, contratamos um guia para nos mostrar os melhores e mais importantes lugares a serem visitados.

Certa vez, decidimos explorar os lugares por conta própria; assim poderíamos fazer o que quiséssemos e quando quiséssemos. No entanto, logo descobrimos que as nossas viagens independentes foram praticamente desperdiçadas. Geralmente gastamos grande parte do dia nos perdendo e depois tentando encontrar o caminho outra vez. Descobrimos que a melhor maneira de utilizar o nosso tempo seria seguindo um guia, em vez de perambularmos sem destino tentando encontrar os lugares por nós mesmos.

Creio que este exemplo se identifica com o modo como andamos na vida. Queremos seguir o nosso próprio caminho para podermos fazer o que quisermos, quando quisermos, mas acabamos nos perdendo e desperdiçando nossa vida. Precisamos do Espírito Santo nos guiando a cada dia do nosso tempo aqui nesta terra. Deus está comprometido em nos guiar até deixarmos esta vida, por isso, parece importante aprender a ouvir o que Ele está nos dizendo.

Um dos muitos benefícios de ouvir a voz de Deus é que Ele nos ajuda a nos prepararmos para o futuro. O Espírito Santo nos dá a mensagem que lhe foi passada pelo Pai. Ele anuncia e declara a nós as coisas que acontecerão no amanhã (ver novamente João 16:13).

Vemos muitos exemplos na Bíblia onde Deus deu às pessoas informações sobre o futuro. Noé foi avisado para se preparar para um dilúvio que destruiria as pessoas da terra (ver Gênesis 6:13-17). Moisés foi avisado para ir até Faraó e pedir a libertação dos israelitas, mas também foi avisado de que Faraó não os deixaria ir (ver Êxodo 7). Obviamente, Deus não nos diz tudo que acontecerá no futuro, mas a Bíblia diz que Ele nos falará das coisas que estão por vir.

Há momentos em que posso sentir em meu espírito que algo de bom ou desafiador vai acontecer. Naturalmente, quando sinto que algo desafiador está para acontecer, sempre espero estar errada e que seja apenas minha imaginação. Mas se eu estiver certa, ter esse conhecimento antes do tempo funciona como um amortecedor em minha vida. Se um carro com bons amortecedores atinge um buraco na estrada, os amortecedores absorvem o impacto e nenhum dos passageiros se machuca. O fato de Deus nos dar informações antes do tempo atua do mesmo modo.

Precisamos do Espírito Santo nos guiando a cada dia do nosso tempo aqui nesta terra.

Lembro-me de muitas vezes em que Deus me informou sobre coisas que aconteceriam no futuro. Em uma dessas ocasiões em particular, senti fortemente em meu coração que um de meus filhos estava realmente tendo problemas com algo importante. Quando perguntei a meu filho sobre isso, ele me disse que estava tudo bem, mas pelo Espírito eu sabia que alguma coisa estava errada. Vários dias depois, recebi uma notícia dolorosa e desanimadora – mas teria sido muito mais difícil se eu não tivesse tido um aviso prévio.

1 Coríntios 2:5 nos ensina a não colocarmos a nossa fé na sabedoria dos homens (na filosofia humana), mas sim no poder de Deus. O versículo 11 diz que ninguém pode discernir os pensamentos de Deus a não ser o Espírito de Deus. Uma vez que o Espírito Santo

conhece os conselhos secretos de Deus, é uma necessidade vital para nós saber como ouvir o que Ele quer nos dizer. O Espírito Santo nos ajudará a perceber, compreender e apreciar os dons do favor divino e da bênção que Deus nos concedeu. A sabedoria humana não nos ensina esta verdade. Ela vem do Espírito Santo, que nos dá a mente de Cristo (ver vv. 12-13). O Espírito Santo conhece a mente de Deus e o plano individual de Deus para a sua vida. O "mapa da estrada" que Ele preparou para você não é necessariamente igual ao de qualquer outra pessoa, portanto, não funciona tentar padronizar a sua vida de acordo com a vida de alguém ou de acordo com o que ele ou ela ouviu de Deus. Deus tem um plano exclusivo para você, e o Espírito Santo sabe qual é, e o revelará a você.

O Espírito de Deus nos guiará, e o próprio Deus será o nosso Pastor (ver Ezequiel 34:1-16). 1 João 2:27 nos ensina que na qualidade de crentes, recebemos uma unção do Senhor que permanece em nós para nos ensinar a respeito de todas as coisas, de modo que não precisamos que ninguém mais no ensine.

Deus nos dirá o caminho a seguir, mas depois nós teremos de percorrê-lo.

Não estou dizendo que não devemos nos reunir e estudar a Palavra de Deus juntos. Em um capítulo mais adiante, falarei sobre como podemos saber quando Deus está falando conosco através de outra pessoa, mas é importante sabermos que podemos descobrir o que Deus *está* dizendo a nós pessoalmente e sermos guiados pelo Seu Espírito, sem termos de correr em busca de outras pessoas o tempo todo.

Eu já era crente há muitos anos quando aprendi que Deus queria falar diretamente comigo todos os dias, para que eu pudesse andar com confiança na plenitude do Seu plano para a minha vida. Naqueles primeiros tempos da minha fé, nunca soube que podia ouvir a voz de Deus e não ser enganada. Mas agora conheço a voz do meu Pai, e não seguirei a voz de um estranho (ver João 10:4-5).

A Bíblia está cheia de grandes promessas para a nossa caminhada individual com Deus. Ela diz: "O Senhor firma os passos de um ho-

COMO OUVIR A VOZ DE DEUS

mem, quando a conduta deste o agrada; ainda que tropece, não cairá, pois o Senhor o toma pela mão" (Salmo 37:23, 24). Deus nos dirá o caminho a seguir, mas depois nós teremos de percorrê-lo. A caminhada com Deus acontece dando-se um passo de obediência de cada vez. Algumas pessoas querem ter o projeto completo para sua vida antes de tomarem uma decisão. Deus não costuma trabalhar assim. Ele nos guia passo a passo. Pela fé, damos o passo que Deus nos mostrou, e então Ele nos revela o próximo passo. Às vezes caímos e precisamos nos levantar; tropeçamos, mas Ele sempre nos ajuda. Continuamos seguindo em frente por Sua força e Sua graça, sabendo que todas as vezes que nos depararmos com uma bifurcação na estrada, Deus nos guiará.

NÃO ERRE O ALVO

Recentemente, Deus me disse que quando não estamos *dispostos* a ouvi-lo em uma área, isso pode nos tornar *incapazes* de ouvi-lo em outras áreas. Às vezes, optamos por nos fazer de surdos para aquilo que sabemos que o Senhor está nos dizendo claramente. Só ouvimos o que queremos ouvir; isso se chama "audição seletiva". Depois de algum tempo, as pessoas acham que não conseguem mais ouvir a voz de Deus, mas na verdade há muitas coisas que elas já sabem que Ele quer que elas façam, e elas não fizeram. Aprendi que quanto mais rápido faço o que o Senhor me diz para fazer, mais rápido Ele me revelará o próximo passo que devo dar.

Certa vez, uma mulher compartilhou comigo que pediu a Deus para lhe dar uma direção com relação ao que Ele queria que ela fizesse. Ele colocou claramente em seu coração que queria que ela perdoasse sua irmã por uma ofensa que havia acontecido entre elas meses antes. Como aquela mulher não estava disposta a fazer isso, ela passou a evitar o seu tempo de oração. Quando voltava a buscar o Senhor sobre alguma coisa, Ele sempre respondia "Primeiro perdoe sua irmã".

Durante um período de *dois anos*, todas as vezes que ela pedia ao Senhor direção sobre algo novo, Ele gentilmente lhe lembrava: "Quero que você perdoe sua irmã". Finalmente, ela entendeu que nunca cresceria espiritualmente se não fizesse a última coisa que Deus lhe havia dito para fazer. Ela se colocou de joelhos e orou: "Senhor, dá-me o poder para perdoar minha irmã". Instantaneamente ela entendeu muitas coisas do ponto de vista de sua irmã que não havia levado em consideração antes, e dentro de pouco tempo o relacionamento delas foi restaurado e se tornou mais forte do que jamais havia sido.

Se realmente quisermos ouvir a voz de Deus, não podemos nos aproximar Dele com uma audição seletiva, com a intenção de resumir os assuntos apenas ao que queremos ouvir. As pessoas separam um tempo para ouvir a voz de Deus quando elas têm questões que querem resolver. Se tiverem um problema ou uma preocupação quanto ao seu trabalho, ou se precisam de sabedoria para ter mais prosperidade ou para lidar com um filho, então elas são "todo ouvidos" para ouvir o que Deus tem a dizer.

Não se aproxime de Deus e fale com Ele apenas quando quiser ou precisar de alguma coisa; passe tempo com Ele também apenas ouvindo. Ele abrirá o seu entendimento sobre muitas questões se você ficar em silêncio diante Dele e simplesmente ouvir.

Para muitas pessoas, ouvir é uma habilidade que precisa ser desenvolvida pela prática. Sempre fui muito falante; nunca tive de tentar falar. Mas precisei ter o propósito de aprender a ouvir. O Senhor diz: "Aquietai-vos e sabei que Eu Sou Deus" (Salmo 46:10, ARA). A nossa carne é cheia de energia e geralmente quer estar ativa, fazendo algo, por isso pode ser difícil para nós ficar parados.

Como eu disse, falar sempre foi fácil para mim. Um dia, disse a meu esposo que precisávamos conversar mais. Parecia-me que ele nunca queria passar um tempo apenas sentado conversando. Ele respondeu dizendo: "Joyce, nós não conversamos; você fala e eu escuto". Ele estava certo, e eu precisava mudar se esperava que ele tivesse comunhão comigo. Também descobri que estava fazendo o mesmo com Deus; eu falava e esperava que Deus ouvisse. Eu reclamava que nunca ouvia a voz de Deus, mas a verdade é que nunca parava para ouvir.

Quando você pedir algo a Deus, dê um tempo e ouça. Mesmo que Ele não responda imediatamente, Ele o fará no devido tempo.

Você poderá estar fazendo alguma tarefa comum quando Deus decidir falar com você, mas se você o honrou ouvindo-o como parte da sua comunhão com Ele, Ele falará no tempo certo. Nos próximos capítulos, compartilharei muitas formas que Deus escolhe para nos falar e nos guiar. Compartilharei com você verdades importantes que aprendi e que manterão o seu "receptor" livre do enganador. Antes de qualquer coisa, Deus fala conosco através da Sua Palavra escrita, e qualquer outra forma que Ele use para se comunicar conosco sempre estará de acordo com a Bíblia. Também compartilharei algumas maneiras de criarmos uma atmosfera propícia para ouvir a voz de Deus e assim aumentar a nossa expectativa de ouvir a Sua voz.

Quando começamos a prestar atenção e a ouvir a voz de Deus, é importante obedecer ao que quer que estejamos ouvindo o Senhor nos dizer. A obediência aprofunda a nossa comunhão com Ele. Podemos dizer que a perfeição vem com a prática. Em outras palavras, nos tornamos cada vez mais confiantes à medida que ganhamos experiência. É necessária muita prática para chegarmos ao ponto da completa submissão à direção de Deus. Mesmo sabendo que os caminhos de Deus são perfeitos e que se nos submetermos ao Seu plano as coisas sempre darão certo, ainda assim podemos fingir ignorá-lo quando parecer que um sacrifício pessoal está sendo exigido de nós. Mas nos caminhos de Deus não existe erro.

Quando somos colocados face a face com a verdade de Deus, devemos deixar que ela nos liberte para podermos desfrutar do melhor Dele para as nossas vidas. Eu lhe garanto que se você lutar com Deus todas as vezes que Ele lhe disser para fazer alguma coisa, isso o tornará completamente infeliz.

Jesus disse: "Sigam-me". Ele não disse: "Vocês vão na frente e Eu os seguirei". Aprendi que também podemos fazer rapidamente o que Deus nos diz, da maneira que Ele quer que seja feito, porque mais cedo ou mais tarde, se quisermos desfrutar do plano perfeito de Deus para as nossas vidas, vamos ter de segui-lo.

Recentemente, disse a um de meus filhos: "Eu nunca lhe direi nada que não acredite que seja em seu próprio benefício". Quando pensei a respeito disto, percebi que Deus trata conosco do mesmo modo. Ele nunca dirá a você ou a mim nada que não seja em nosso próprio benefício. Quando procurei nas Escrituras, encontrei muitas referências que simplesmente diziam de formas diferentes: "Façam tudo que Eu lhes ordeno, para o bem de vocês".

Talvez você seja como eu era e tenha desperdiçado muitos anos seguindo o seu próprio caminho sem buscar a direção de Deus. A boa notícia é que não é tarde demais para dar a voltar e seguir por um novo caminho – em direção ao plano e ao propósito de Deus para a sua vida. Não é tarde demais para aprender a ouvir a voz de Deus. Você está interessado, do contrário não estaria lendo este livro. Se você está sinceramente disposto a ouvir a Deus, Ele o guiará pela jornada empolgante de aprender a ouvir a voz Dele todos os dias da sua vida.

Jesus disse:"Sigam-me". Ele não disse:"Vocês vão na frente e Eu os seguirei".

Como disse anteriormente, Deus tem um bom plano para as nossas vidas. Precisamos segui-lo para que esse plano seja manifesto. Um ótimo exercício para praticar ouvir a voz de Deus é perguntar a Ele se existe alguém que Ele quer que você encoraje ou abençoe – depois fique quieto e ouça. Você ficará surpreso com a velocidade com que Ele responde. Ele encherá o seu coração com pensamentos e alvos piedosos. Ele indicará as pessoas que serão abençoadas pela atenção que você dará a elas, e poderá lhe dizer coisas específicas que você deverá fazer para encorajá-las. Ele tem ideias para lhe apresentar que você nunca imaginou. Ouça-o com atenção. Depois siga o conselho dado em João 2:5: *"Façam tudo o que Ele lhes mandar".*

QUESTÕES PARA REFLETIR

1. Você já viveu um tempo em sua vida no qual parecia "só restar Deus"? Em caso positivo, descreva-o. Quais eram as suas emoções? Em que verdades você se apoiou? Como e o quê Deus lhe falou durante esse tempo? Valeu a pena perder tudo para ter uma experiência com Deus desta maneira?

2. Como Deus encorajou você a dizer *sim* aos Seus caminhos?

3. Você acredita que Deus tem um bom plano para prosperá-lo, para lhe dar esperança e um futuro? Em caso positivo, como a sua vida reflete esta convicção? Em caso negativo, ore e peça a Deus para ajudá-lo a aceitar e crer na Sua Palavra.

4. Por que você acha que Deus nos diz algumas coisas que acontecerão no futuro, mas não todas elas? Como isso desenvolve a esperança, a paciência e a confiança?

5. Descreva uma situação em que você percebeu que estava colocando a sua fé na sabedoria dos homens. Como isto difere da verdade de Deus?

6. De que forma você tentou moldar a sua vida segundo a vida de alguém ou segundo o que alguém ouviu Deus falar? Esta experiência aconteceu no passado ou é uma situação atual?

7. Quais são os perigos de nos voltarmos primeiramente para os outros para que eles nos digam o que Deus está dizendo? Que instrumentos você tem à sua disposição para discernir a voz de Deus?

8. Existe algo que Deus tenha lhe dito e você ainda não tenha obedecido? Por que você está hesitando? Existe alguma promessa na Bíblia na qual você esteja tendo dificuldade de acreditar?

9. Quem é a pessoa que Deus quer que você encoraje? Você já fez isso?

Crie uma Atmosfera Propícia a Ouvir a Voz de Deus

Se quisermos ser conduzidos em vitória pelo Espírito de Deus, então precisamos estar dispostos a mudar o nosso estilo de vida à medida que Deus fala conosco. A primeira mudança com a qual podemos nos deparar é a necessidade de criar uma atmosfera que seja propícia a ouvirmos a voz de Deus. Quando digo atmosfera, refiro-me ao clima, ambiente, ou estado de espírito predominante que nos cerca. A atmosfera é criada por atitudes, e certas atitudes potencializam ou impedem o nosso relacionamento com Deus.

Por exemplo, se vivemos em um estado de constante conflito - o que é um problema espiritual - podemos sentir esses conflitos no ambiente. Se entrarmos em uma sala onde diversas pessoas estão zangadas e irritadas, poderemos sentir essa dissensão mesmo que ninguém esteja dizendo nada no momento. Devemos nos esforçar para criar e manter uma atmosfera pacífica: "Façam todo o possível para viver em paz com todos" (Romanos 12:18).

Podemos pensar displicentemente que queremos ouvir a voz de Deus, mas buscá-lo de *todo* o nosso coração é um trabalho de tempo integral. Para desfrutarmos da plenitude da presença de Deus, precisamos manter consistentemente uma atmosfera propícia a buscá-lo, a honrá-lo, e a sermos fiéis e obedientes a Ele. Se quisermos ouvir a voz de Deus, precisamos render as nossas atitudes ao senhorio de Jesus Cristo e aprender a sermos guiados pelo Espírito em *todos* os nossos caminhos.

MANTENHA UMA ATITUDE DE ATENÇÃO

Prestar atenção é uma chave importante para podermos ouvir! Você já encontrou alguém que lhe faz perguntas, mas não dá atenção às respostas? É difícil conversar com pessoas que não estão prestando atenção. Tenho certeza de que Deus não procura falar para ouvidos que estão fechados. Se não vamos dar ouvidos, Ele encontrará outra pessoa com os ouvidos abertos, alguém que esteja dando atenção ao som da Sua voz.

Hebreus 5:11 nos adverte que deixaremos de aprender valiosos princípios de vida se não tivermos uma atitude de *atenção*: "A esse respeito temos muitas coisas que dizer e difíceis de explicar, porquanto vos tendes tornado tardios em ouvir [espiritualmente] e indolentes [e até preguiçosos na conquista da percepção espiritual]" (AMP).

Uma atitude atenta nos impedirá de nos tornarmos tardios em ouvir. Não devemos ter a mentalidade de apenas dar ouvidos às instruções de Deus quando precisamos desesperadamente de ajuda. É claro que estamos prontos para ouvir a voz Dele quando estamos com problemas. Mas Deus quer falar conosco regularmente. Precisamos ter ouvidos atentos o tempo todo.

Hoje, sentei diante do meu computador e estava pronta para começar a trabalhar no projeto deste livro quando senti o Senhor dizer: "Separe alguns minutos e apenas espere na Minha presença". Esperei um pouquinho, e depois comecei a dar um telefonema. O Senhor disse suavemente: "Eu não lhe disse para dar telefonemas; Eu lhe disse para esperar na Minha presença". A nossa carne é tão cheia de energia que simplesmente é difícil ficarmos quietos. Precisamos desenvolver novos hábitos sobre esta área tão importante.

Então, esperei em silêncio por algum tempo, e o Senhor começou a falar comigo sobre anjos – algo que eu com certeza não estava esperando. Ele me levou a consultar diversas passagens bíblicas, e acabei recebendo uma "mini lição bíblica" sobre o poder e a presença dos anjos. Deus tem uma razão para tudo que faz, e creio que Ele queria que eu tivesse mais consciência de que os Seus anjos trabalham a meu favor – algo em que eu sinceramente não havia pensado durante muito, muito tempo.

CRIE UMA ATMOSFERA PROPÍCIA A OUVIR A VOZ DE DEUS

Você poderia perguntar: "Joyce, como você sabe com certeza que Deus estava falando com você, e que a sua mente não estava simplesmente inventando tudo?" A resposta é que eu senti paz quanto a tudo que estava recebendo. Sentia dentro de mim que aquilo era certo. Meu espírito confirmava aquelas palavras como vindas realmente do Senhor. Sabemos coisas a respeito de Deus pelo espírito, e não necessariamente pela mente. Recebemos a informação em nossa mente, mas a revelação vem ao nosso espírito através do Espírito Santo.

Houve outras vezes em que esperei na presença de Deus e ouvi uma voz semelhante, mas intuitivamente sabia que aquela não era a voz de Deus. Precisamos conhecer o caráter de Deus para saber o que vem Dele e o que não vem. Como veremos, Ele é gentil; não é áspero, duro, rígido ou insistente (ver Mateus 11:28-30). Por exemplo, quando comecei a dar um telefonema, Deus não ficou zangado nem gritou comigo. Sua voz foi suave e mansa. Deus entende a nossa natureza. Ele sabia que eu não estava sendo desobediente de propósito, mas que a minha carne apenas queria estar ocupada "fazendo alguma coisa".

Existem muitas facetas do caráter de Deus, e cada uma delas parece ser mais maravilhosa do que a outra. Ele é fiel, verdadeiro, amoroso, gentil, paciente, justo e honesto — entre muitos outros atributos maravilhosos. Se eu pensasse ter ouvido Deus me dizer para abrir mão de alguma coisa apenas porque aquilo era difícil para mim, eu questionaria se aquela mensagem vinha Dele, porque sei que o Seu caráter é ser fiel. A Sua Palavra diz que mesmo quando somos infiéis, Ele permanece fiel (ver 2 Timóteo 2:13); portanto, é improvável que Ele me dissesse para abrir mão de algo rapidamente.

A nossa carne é tão cheia de energia que simplesmente é difícil ficarmos quietos.

Se eu fosse fazer compras e voltasse para casa com um item a mais em meus pacotes pelo qual não tivesse pago e achasse que Deus estava me dizendo que aquela era a Sua maneira de me abençoar, eu saberia que aquela voz não era a voz de Deus, porque Ele é sempre honesto. Ele não ficaria com algo pelo qual não pagou, e nós também não devemos fazer isso. Recentemente, comprei dois pares de sapatos e a bolsa que combinava com um deles. Quando voltei para casa, descobri que o balconista havia me dado dois pares de sapatos e bolsas que combinavam com os dois pares, mas só havia cobrado por uma bolsa. Foi um esforço devolver aquela bolsa – na verdade, ser honesta realmente me custou tempo e dinheiro de gasolina – mas eu sabia que a honestidade refletia o caráter de Deus.

O balconista ficou tão impressionado que quando eu estava saindo, pude vê-lo dizendo aos outros que não acreditava que eu havia devolvido a bolsa. As pessoas precisam ver Deus em ação e Ele quer operar através de Seus filhos. Não permita que Satanás o engane nesta área de ouvir a voz de Deus. Conheça Deus, conheça o Seu caráter, e você será capaz de discernir as vozes que chegam até você, quer seja a voz de Deus, a sua própria voz, ou a voz do inimigo.

Jesus disse que as pessoas têm ouvidos para ouvir, mas que elas não ouvem; que têm olhos para ver, mas não veem (ver Mateus 13:9-16). Ele não estava falando dos nossos ouvidos físicos, mas sim dos ouvidos espirituais que recebemos quando nascemos no reino de Deus. Nossos ouvidos espirituais estão sintonizados com a voz de Deus. Precisamos ter uma atitude de quietude e expectativa para sermos capazes de ouvi-lo.

Um exemplo de atitude atenta é o que acontece normalmente quando Dave e eu tentamos fazer planos para o fim de semana. Se o que queremos fazer exige que faça bom tempo, começamos a ouvir a previsão do tempo. Quando não queremos ir a lugar algum, realmente não nos importamos com a previsão do tempo. Quando precisamos de informação, mantemos os ouvidos atentos às respostas que precisamos. Podemos não saber exatamente a que horas o relatório do tempo será transmitido, então, ligamos o rádio, esperando captar a previsão.

Podemos nos ocupar fazendo coisas pela casa, mas pelo fato de estarmos decididos a manter os ouvidos atentos à previsão do tempo, rapidamente deixamos o que estamos fazendo logo que ouvimos qualquer coisa sobre o tempo. Precisamos ouvir a Deus com este mesmo tipo de expectativa, como se soubéssemos que Ele está para nos dar informações importantes que influenciarão os planos que estamos fazendo.

Quando as pessoas vêm até o altar para receber oração, aprendi a ouvi-las não apenas com meus ouvidos físicos, mas também com meus ouvidos espirituais. Presto atenção para ouvir se Deus está me dizendo algo para orar por elas. Muitas vezes o que as pessoas me dizem não contém toda a história, e elas nem sequer sabem disso.

Manter um ouvido atento requer prática.

Deus conhece toda a história, e é por isso que Ele quer que sejamos treinados para termos uma atitude atenta com relação a Ele. Manter um ouvido atento requer prática porque não é algo que acontece naturalmente. Precisamos criar uma atmosfera de expectativa que diga: "Estou ouvindo, Deus. Se Tu não gostas do que estou fazendo, por favor, me diga. Estou ouvindo".

Durante as nossas conferências, é óbvio que os nossos líderes de adoração e nossos músicos estão ouvindo o Senhor, porque eles frequentemente escolhem músicas que complementam perfeitamente a mensagem que Deus me diz para compartilhar. Muitas vezes é impossível coordenar a escolha das músicas com antecedência, de modo que sou grata por trabalhar com pessoas que ouvem a voz de Deus e são guiadas pelo Seu Espírito. Quando Deus confirma a Sua mensagem a muitas pessoas ao mesmo tempo, saber que realmente reconhecemos e discernimos a Sua voz edifica a nossa fé.

MANTENHA UMA ATITUDE QUE HONRE A DEUS

Outra atitude que convida a presença de Deus para a nossa atmosfera é a atitude de honrá-lo acima de qualquer coisa. Precisamos ter uma atitude que diga: "Deus, não importa o que todos estão me dizendo, não importa o que eu mesmo pense, não importa qual seja o meu plano, se eu Te ouvir claramente e souber que és Tu, vou honrar a Ti e aquilo que disseres acima de qualquer outra coisa".

Às vezes damos mais consideração ao que as pessoas nos dizem do que ao que Deus nos diz. Se orarmos diligentemente, ouvirmos a voz de Deus, mas depois começarmos a perguntar a todos o que eles acham, estaremos honrando a opinião das pessoas acima da Palavra de Deus. Esta atitude nos impedirá de desenvolver um relacionamento no qual possamos ouvir consistentemente a voz de Deus.

A Palavra confirma que podemos confiar em Deus para nos instruir sem precisarmos da confirmação constante dos outros: "Quanto a vocês, a unção que receberam dele permanece em vocês e não precisam que alguém os ensine; mas, como a unção dele recebida, que é verdadeira e não falsa, os ensina acerca de todas as coisas, permaneçam nele como Ele os ensinou" (1 João 2:27). Esse versículo não está dizendo que não precisamos que ninguém nos ensine a Palavra. Se não, Deus não levantaria alguns para ensinarem no corpo de Cristo. Mas ele diz que se estamos em Cristo, temos uma unção que permanece dentro de nós para guiar e dirigir nossas vidas. Podemos ocasionalmente pedir a alguém que nos diga algo com base na sua sabedoria, mas não precisamos procurar outras pessoas constantemente para perguntar-lhes sobre decisões que precisamos tomar.

Quando os membros da nossa equipe me perguntam "O que você acha que devo fazer?", eu lhes digo: "Você precisa ouvir a Deus".

Se quisermos desenvolver a capacidade de ouvir a voz de Deus e de sermos guiados pelo Seu Espírito, temos de começar tomando as nossas próprias decisões e confiando na sabedoria que Deus depositou em nosso coração.

O diabo quer que pensemos que não somos capazes de ouvir a voz de Deus, mas a Palavra diz que isto não é verdade. O Espírito Santo habita dentro de nós porque Deus quer que sejamos guiados individualmente pelo Seu Espírito. Não estamos vivendo debaixo da velha aliança na qual temos de correr para o sacerdote para descobrirmos o que devemos fazer o tempo todo.

Em Jeremias 17:5-7, o profeta nos diz:

> Assim diz o Senhor: "Maldito é o homem que confia nos homens, que faz da humanidade mortal a sua força, mas cujo coração se afasta

Deus é o único que pode ministrar vida a nós.

do Senhor. Ele será como um arbusto no deserto, não verá quando vier algum bem. Habitará nos lugares áridos do deserto, numa terra salgada onde não vive ninguém. Mas bendito é o homem cuja confiança está no Senhor, cuja confiança nele está".

O Senhor está dizendo claramente para não fazermos da carne humana a nossa força. Consequências sérias acontecem aos que confiam na fragilidade das pessoas. Benditos são aqueles que confiam e honram a unção de Deus que habita dentro deles. Coisas boas acontecem se ouvirmos a Deus. Ele quer ser o nosso braço direito e a nossa força. Deus é o único que pode ministrar vida a nós.

Jesus ouviu claramente Seu Pai dizer que Ele deveria ir à cruz. Em Marcos 8:31 Jesus disse aos discípulos que era necessário que Ele sofresse muitas coisas, que fosse testado, aprovado, rejeitado pelos anciãos e pelos principais sacerdotes e escribas, e que fosse condenado à morte; mas, depois de três dias, Ele ressuscitaria. O versículo 32 diz que Pedro tomou-o pela mão e "chamando-o à parte, começou a repreendê-lo".

Mas Jesus não levava em consideração a instrução de homens frágeis, como Pedro, por isso "... voltando-se, e fitando os Seus discípulos, repreendeu a Pedro e disse: Arreda, Satanás! Porque não cogitas das coisas de Deus, e sim das dos homens [você não está do lado de Deus, mas do lado dos homens]" (v. 33, AMP).

Jesus honrava o que quer que Seu Pai dissesse, independente de qual fosse o custo pessoal para Si mesmo. Às vezes só ouvimos a Deus se o que Ele disser não for nos custar nada, ou se Ele nos disser aquilo que queremos ouvir. Na maior parte do tempo, se recebemos uma palavra desconfortável, agimos como Pedro e dizemos: "Ah, não, isto não pode vir de Deus!" Mas se quisermos ter ouvidos que ouvem a voz de Deus, precisamos honrar as Suas palavras acima de qualquer outra.

MANTENHA UMA ATITUDE DE FÉ

Quando fui chamada para o ministério, queria contar para todo o mundo. Quando o fiz, deparei-me com muita incredulidade. Mas quando Deus nos diz uma palavra, não há dúvidas em nosso coração do que devemos fazer. Precisamos manter a fé no que Deus nos disse, mesmo quando ninguém mais acreditar nisso conosco.

Paulo havia perseguido os cristãos e era improvável que fosse ser chamado para pregar. Se eu tivesse sido um dos colegas de Paulo, teria muita dificuldade em acreditar que ele havia sido chamado. Ele sabia qual seria a reação ao seu ministério, então, escreveu:

> Mas Deus me separou desde o ventre materno e me chamou por Sua graça. Quando lhe agradou revelar o Seu Filho em mim para que eu o anunciasse entre os gentios, não consultei pessoa alguma. Tampouco subi a Jerusalém para ver os que eram já apóstolos antes de mim... (Gálatas 1:15-17).

Paulo disse que ele guardava a notícia do seu chamado para si; ele não foi consultar os "chefões" que deviam estar sempre ouvindo a voz de Deus. Ele sabia o que Deus havia feito com ele naquela estrada para Damasco. Ele sabia que havia sido transformado para sempre (ver Atos 9:3-8). Ele sabia que o Filho de Deus havia sido revelado em seu interior. Ele sabia que nunca mais poderia voltar à vida que havia vivido. Ele sabia que pelo resto de sua vida teria de pregar o evangelho e permanecer fiel ao que havia ouvido Jesus lhe dizer.

Mas ele também tinha sabedoria para saber que as pessoas achariam o seu chamado inacreditável. Então ele esperou na presença de Deus. Ele não saiu correndo por aí consultando os outros discípulos e dizendo "Ei, rapazes, vi uma luz na estrada e caí do meu cavalo e aconteceu isto e aquilo. O que vocês acham?" Em vez disso, ele saiu e se retirou para a Arábia. Depois, voltou a Damasco. Três anos depois, ele diz: "subi a Jerusalém para conhecer Pedro pessoalmente, e estive com ele quinze dias" (Gálatas 1:18).

Paulo guardou a Palavra de Deus em seu coração e deixou-a crescer e se manifestar por si só. Então ele começou a fazer o que havia sido chamado para fazer. Em breve, outros reconheceram que o chamado que estava sobre ele tinha de ser de Deus. Paulo acabou dizendo: "E glorificavam a Deus por minha causa" (Gálatas 1:24).

As pessoas geralmente dizem que querem uma confirmação quando Deus fala com elas, citando a norma bíblica que diz que devemos esperar que toda palavra seja confirmada por duas ou três testemunhas (ver 2 Coríntios 13:1). Mas esse versículo sobre duas ou três testemunhas não tem nada a ver com ouvirmos a voz de Deus. Ele se destina à correção quando surge uma acusação contra um cristão. Se um crente estivesse sendo acusado de fazer algo errado, a acusação não era digna de crédito a não ser que fosse confirmada por outros dois ou três crentes.

Encontrar duas ou três testemunhas nunca teve qualquer relação com buscar conselho para a direção de Deus na vida de um cristão. Quando ouvimos a voz de Deus, não precisamos esperar que duas ou três pessoas nos digam a mesma coisa; simplesmente precisamos ter uma atitude de fé, como Paulo, e esperar que Deus nos mostre qual será o próximo passo.

Às vezes as pessoas querem que Deus confirme o chamado delas com um sinal, como Gideão fez quando colocou uma porção de lã na eira (Juízes 6:36-40). Deus honrou o pedido de Gideão, mas aquilo não era o melhor de Deus. Quando Tomé estava cheio de dúvidas, dizendo que precisava ver para poder crer, Jesus disse a ele "Felizes os que não viram e creram" (João 20:29).

Deus fará algumas coisas especiais por nós quando somos recém-convertidos, mas à medida que amadurecemos em nosso conhecimento da direção de Deus, Ele se agrada quando aprendemos a agir pela fé.

Às vezes as pessoas abrem a Bíblia aleatoriamente, esperando que ela abra em uma passagem que seja relevante em relação à situação que estão vivendo. Elas têm medo de proceder por fé naquilo que Deus lhes disse para fazer. Havia vezes no passado em que Deus honrava tais pedidos de sinais, mas esse "poço" da confirmação secará muito rápido quando chegar a hora de agir simplesmente pela fé.

Tive de aprender a ser guiada pelo meu homem interior. Como disse o apóstolo Paulo: "Minha consciência o confirma no Espírito Santo" (ver Romanos 9:1). Esta é a única confirmação que precisamos ter quando Deus nos chama para fazer algo.

Gosto do modo como meu pastor, Rick Shelton, diz que agia. Quando achava que tinha ouvido a voz de Deus, ele dizia: "Não vou me mover quanto a isto até ter certeza de que isto *se encaixa dentro de mim*". Tudo que é certo para a nossa vida tem um lugar dentro de nós, onde vai se encaixar confortavelmente.

Deus pode nos chamar para fazer algo que nem sempre agrada à nossa carne, mas dentro de nós nos dará prazer se for verdadeiramente um chamado de Deus. Por exemplo, não gosto de ficar em quartos de hotel todos os finais de semana, porque para mim eles todos parecem iguais, mas sei o que fui chamada para fazer. Sou entusiasmada em pregar, então não penso nas partes de meu ministério que não são tão agradáveis.

"Felizes os que não viram e creram".

Há um desejo profundo dentro de mim que resolve qualquer inconveniência associada ao meu chamado. Sei que tenho de ficar em hotéis para fazer aquilo que amo fazer.

Deus pode chamá-lo para fazer coisas que você não está acostumado a fazer. Você pode ficar assustado na esfera natural, mas sentirá que o que está fazendo se encaixa em seu interior com todas as outras coisas que Deus desenvolveu em você. Uma atitude de fé fará com que você continue avançando em direção ao cumprimento do seu chamado.

MANTENHA UMA ATITUDE DE PACIÊNCIA

Preciso ouvir a voz de Deus todos os dias, e quero ouvir a Sua voz a respeito de todas as coisas. Para ouvir a Deus, precisamos estar dispostos a esperar pela sabedoria, movidos por uma paixão de querer a vontade de Deus mais do que qualquer outra coisa. Ouviremos a voz de Deus muito mais claramente se estivermos determinados a não nos mover no calor dos nossos desejos e emoções carnais. Seremos abençoados se esperarmos e nos certificarmos de que ouvimos a Deus antes de dar qualquer passo. Só então devemos fazer o que

Deus nos está dizendo para fazer, mesmo que doa, e mesmo que nos custe algo.

Há vários anos, comecei a colecionar filmes clássicos em vídeo porque não havia nada de decente para se assistir na televisão. Depois de comprar e ganhar muitos vídeos ao longo dos anos, reuni uma coleção de vídeos muito boa. Na verdade, meus filhos às vezes brincam comigo e chamam a minha coleção de "os filmes da Joyce-Buster" (em vez de Blockbuster, a locadora de filmes).

Chegou uma revista em nossa casa com uma lista de diversos filmes bons e puros. Todos os filmes da lista continham diversão sadia com base cristã, e parecia que Deus havia deixado aquela oportunidade cair no meu colo. Fiquei entusiasmada e provavelmente marquei quinze filmes diferentes que queria encomendar. Então decidi deixar a lista de lado por alguns dias. Finalmente voltei a ela depois que pude vencer com paciência as minhas emoções e usar a sabedoria de Deus. Encomendei apenas dois novos filmes.

Se eu tivesse agido na noite em que minhas emoções estavam agitadas, teria encomendado filmes demais, e não teria sido Deus me dirigindo a fazer aquilo. Precisamos esperar pela verdadeira sabedoria antes de agirmos com base em um impulso que achamos que vem de Deus.

Aprenda a esperar. As emoções que sobem e nos enchem de energia cairão, e a energia emocional não nos levará para onde realmente precisamos ir. Precisamos da energia de Deus, que é a determinação do Espírito Santo para avançarmos e fazermos o que Deus disse.

Deus tem uma vontade e um plano para todas as pessoas. Cada pessoa precisa descobrir o que Deus quer que ela faça, e depois esperar pelo tempo Dele para fazê-lo. Todos nós precisamos seguir a Sabedoria:

> Como é feliz o homem que me ouve, vigiando diariamente à minha porta, esperando junto às portas da minha casa. Pois todo aquele que me encontra, encontra a vida e recebe o favor do Senhor. Mas aquele que de mim se afasta, a si mesmo se agride; todos os que me odeiam amam a morte (Provérbios 8:34-36).

Podemos perder o melhor de Deus por estarmos com pressa de conseguirmos o que queremos. Se não esperarmos, principalmente nas áreas importantes, traremos problemas às nossas vidas. Paciência é estar cada vez mais sintonizado em minha vida em todo o tempo. Sou uma confrontadora nata. No passado, se quisesse resolver algum assunto, eu confrontava a questão e forçava uma solução. Levei anos para aprender que às vezes não era bom que eu tratasse os assuntos de forma tão direta. Aprendi que podia entrar no caminho de Deus ou piorar as coisas, e acabar tendo de passar pela mesma situação novamente por não ter esperado o Seu tempo. Por ser impaciente, eu não dava a Deus a chance de resolver as coisas para mim.

Aprendi que quando sinto a ansiedade crescer dentro de mim para tratar de alguma coisa, devo deixá-la descansar pelo menos por vinte e quatro horas. É impressionante como podemos mudar de ideia se simplesmente deixarmos as coisas se aquietarem por algumas horas. Podemos nos poupar de muitos problemas se aprendermos a esperar em Deus.

MANTENHA UMA ATITUDE DE OBEDIÊNCIA

O salmista Davi disse a respeito de Deus: "Sacrifícios e ofertas não quiseste; nem tens prazer neles; Tu me deste a capacidade de ouvir e obedecer [à Tua lei, um serviço mais valioso do que] holocaustos e ofertas queimadas, que não requeres" (Salmo 40:6, AMP).

Deus tem prazer na atmosfera criada pela nossa obediência. Naturalmente, de nada adianta falar conosco se não vamos ouvir e obedecer.

Durante muitos anos, quis que Deus falasse comigo, mas queria escolher ao que iria obedecer. Eu queria fazer o que Ele dissesse se eu achasse que era uma boa ideia. Se eu não gostasse do que estava ouvindo, agia como se aquilo não viesse de Deus. Deus nos deu a capacidade tanto de ouvi-lo quanto de obedecer-lhe. Ele não requer um sacrifício maior do que a obediência.

Algumas coisas que Deus lhe disser serão empolgantes. Algumas coisas que Deus lhe disser podem não ser tão eletrizantes de se ouvir.

Mas isto não significa que o que Ele lhe diz não cooperará para o bem se você simplesmente fizer as coisas do jeito Dele.

Se Deus lhe disser que você foi rude com alguém, e quiser que você se desculpe, não funcionará responder: "Bem, essa pessoa foi rude comigo também!" Se retrucar com desculpas, você pode ter orado, e até ouvido, mas não obedeceu.

Em vez disso, vá pedir desculpas se Deus lhe disser para fazer isso. Percorra a jornada da obediência e diga a essa pessoa: "Fui rude com você, e sinto muito". *Agora* você obedeceu. Agora a unção de Deus pode fluir através da sua vida, porque você é obediente.

Fui tocada por uma história sobre a mensagem de um pastor de uma igreja muito grande que falava em uma conferência para pastores em Tulsa, Oklahoma. Centenas de pastores vieram de toda a nação para ouvir aquele homem dizer o que ele havia feito para construir sua igreja. Ele lhes disse simplesmente: "Eu oro, e obedeço. Eu oro, e obedeço".

É impressionante como podemos mudar de ideia se simplesmente deixarmos as coisas se aquietarem por algumas horas.

Um dos ministros que estava presente neste congresso comentou comigo sobre sua decepção com a mensagem do pastor. Ele disse: "Gastei todo esse dinheiro e viajei toda essa distância para ouvir este líder renomado me dizer como o ministério dele conseguiu cresceu tanto. Durante três horas, de formas variadas, ele disse a mesma coisa: 'Eu oro. Eu obedeço. Eu oro. Eu obedeço. Eu oro. Eu obedeço. Eu oro. Eu obedeço'. Eu ficava o tempo todo pensando: 'Com certeza, deve haver algo mais'".

Olhando para trás depois de cerca de três décadas andando com Deus, tenho de concordar que se for colocar em palavras, a explicação mais simples para todo o sucesso de que temos desfrutado é: nós também aprendemos a orar, a ouvir a voz de Deus, e depois fazer o que Deus nos diz para fazer. Ao longo dos anos, tenho buscado a Deus a respeito do chamado que está sobre a minha vida e avançado naquilo que sinto que Ele me diz para fazer. A essência de tudo é que orei, e obedeci. Nem sempre as coisas tiveram a aprovação de todos os demais, mas orei, obedeci – e funcionou. O plano de Deus não é difícil; somos *nós* que o tornamos difícil.

Se você quer a vontade de Deus para a sua vida, posso lhe dar a receita na sua forma mais simples: *Ore e obedeça*. Deus lhe deu a capacidade para fazer os dois.

Ore.

E obedeça.

Ore.

E obedeça.

Ore.

E obedeça.

Ore.

E obedeça.

Ore.

E obedeça.

Se fizer isto, antes que se dê conta, você terá entrado corretamente no plano perfeito de Deus para a sua vida.

QUESTÕES PARA REFLETIR

1. Que atmosfera (clima, ambiente, ou estado de espírito predominante) está cercando você? Que atitudes pessoais criaram esta atmosfera?

2. Descreva um tempo em que você ouviu a voz de Deus. Como você soube que era a voz de Deus? O que confirmou isto?

3. Descreva um tempo em que você ouviu uma voz que não era a voz de Deus. Como você sabia que não era a voz de Deus? O que confirmou isto?

4. Como você costuma distinguir a voz de Deus de outras vozes?

5. Você está vacilando quanto a permanecer firme em algo que Deus lhe disse? Por que você perdeu a esperança? Você está ouvindo mais às outras pessoas? O que você deve fazer com o que Deus lhe falou? É algo específico, ou você deve continuar buscando a Deus em espírito de oração e esperar nele?

6. Existe alguém em sua vida que Deus lhe disse para perdoar ou pedir perdão? Se existe, você agiu de acordo com a instrução Dele? Se você não agiu em obediência, o que está impedindo você de fazer o que Deus falou?

7. Observe os aspectos importantes para se criar uma atmosfera propícia a ouvir a voz de Deus — prestar atenção, honrar, ter fé, paciência e obediência. Quais são as áreas nas quais você é mais forte? Quais são as áreas mais desafiadoras para você?

8. De que maneiras você está andando em obediência atualmente? Existe alguma área na qual você esteja andando em desobediência? Se existe, qual é ela? Seja específico na sua resposta.

9. O que você acredita que Deus está lhe orientando a fazer em resposta a este capítulo?

Deus Fala Através da Revelação Sobrenatural

Às vezes Deus transcende as leis da natureza e fala conosco através da revelação sobrenatural. Não há nada mais sobrenatural do que a Palavra de Deus, que foi dada a nós por inspiração divina do Espírito Santo ao falar através de Seus profetas e discípulos. A Bíblia tem uma resposta para cada pergunta que possamos ter. A Palavra de Deus está cheia de princípios de vida, histórias verídicas sobre a misericórdia de Deus diante do comportamento humano, e ricas parábolas cheias de verdades importantes para cada indivíduo na terra.

Qualquer pessoa que queira ouvir a voz de Deus precisa ser um estudante da Palavra. De todas as formas que Deus possa falar conosco, Ele jamais entrará em contradição com a Palavra escrita, indicada originalmente pela palavra grega *logos*. A Sua Palavra falada é chamada *rhema*. Deus traz especificamente à nossa lembrança o Seu *logos* para cada situação. O *rhema* de Deus pode não aparecer na Bíblia palavra por palavra, mas o princípio sempre será apoiado pela Palavra escrita. A Bíblia confirma se o que estamos discernindo provém ou não de Deus.

Por exemplo, a Palavra de Deus escrita, a Palavra *logos*, não nos diz quando comprar um carro novo ou que tipo de carro comprar; podemos precisar de uma palavra falada ou revelada (*rhema*) de Deus com relação ao assunto. Embora a Palavra escrita não nos dê instruções específicas sobre a compra de um automóvel, ela fala muito sobre sabedoria. Portanto, se preciso de um carro, e se creio que estou ouvindo Deus me dizer para comprar um determinado carro que custa mais do que posso pagar e isso representaria anos de dívidas sérias que colocariam minha família em um cativeiro de dívidas, devo ter o bom senso suficiente (sabedoria) para saber que a voz que acho que estou ouvindo não provém de Deus.

Há muitas vozes que falam aos nossos pensamentos, a nossa própria voz é uma delas. Descobri que quando desejo muito alguma coisa, é fácil pensar que Deus está me dizendo para adquiri-la. Por este motivo, devemos sempre consultar para ver se temos paz e se o que estamos fazendo é sábio.

A Bíblia foi escrita como uma carta pessoal a cada um de nós. Deus fala conosco, ministra às nossas necessidades, e nos dirige no caminho que devemos seguir através da Sua Palavra escrita. Às vezes, um versículo parecerá ser iluminado, ou parecerá adquirir vida de uma forma especial, e isto acontece quando uma porção da palavra *logos* se torna uma palavra *rhema* específica para nós. A Palavra adquire vida como se Deus tivesse acabado de dizê-la aos nossos ouvidos.

Pode haver ocasiões em que Deus fale alguma coisa conosco que esteja fora de um capítulo ou versículo específico da Bíblia, mas estará sempre de acordo com a Sua Palavra. Por exemplo, a Bíblia não nos diz onde devemos trabalhar, mas Deus falará conosco se buscarmos a Sua presença.

Se pensamos que podemos ouvir claramente a voz de Deus sem passar tempo com a Sua Palavra, estamos enganados. Ouvir a voz de Deus sem dedicar-se à Palavra regularmente abre o caminho para que ouçamos vozes que não provêm de Deus. Conhecer a Palavra escrita nos protege do engano.

Tentar ouvir a voz de Deus sem ler a Sua Palavra é algo irresponsável e até perigoso. As pessoas que querem ser dirigidas pelo Espírito, mas que são preguiçosas demais para passarem tempo com a Palavra ou em oração, se colocam na posição de serem facilmente enganadas. Há muitos espíritos malignos que estão prontos a sussurrar mentiras aos ouvidos daqueles que os ouvem.

Algumas pessoas só vão à presença de Deus quando estão com problemas e precisam de ajuda. Mas se não estiverem acostumadas

DEUS FALA ATRAVÉS DA REVELAÇÃO SOBRENATURAL

a ouvir a voz de Deus, acharão difícil reconhecer a Sua voz quando realmente precisarem Dele. Até Jesus resistiu às mentiras de Satanás respondendo "Está escrito" (ver Lucas 4).

Qualquer ideia, apelo, ou pensamento que venha a nós precisa ser comparado com a Palavra de Deus. Todas as imaginações vãs devem ser lançadas fora e ignoradas (ver 2 Coríntios 10:5), mas o conhecimento da Palavra é de vital importância para discernirmos a voz de Deus.

Muitas pessoas acham que estão muito ocupadas para lerem a Palavra, mas se isto for verdade, o fato é que elas estão simplesmente ocupadas *demais*. Um número surpreendente de pessoas que trabalham no ministério usa o seu serviço de tempo integral como desculpa para não dedicar tempo pessoal à leitura da Palavra e à comunhão com Deus. Elas acham que o seu serviço *para* Ele é passar tempo *com* Ele. Todos nós devemos trabalhar como se fosse para o Senhor, independente do fato do nosso trabalho ser classificado como ministério ou não. Se quisermos estar aptos a trabalhar para Deus, devemos *sempre* passar tempo com Deus, ler a Sua Palavra, e orar a Ele. Qualquer pessoa que trabalhe no ministério é um alvo certo para o inimigo e precisa da proteção da Palavra escrita ainda mais que os outros. O apóstolo Paulo nos diz:

> Pois embora vivamos como homens, não lutamos segundo os padrões humanos. As armas com as quais lutamos não são humanas; ao contrário, são poderosas em Deus para destruir fortalezas. Destruímos argumentos e toda pretensão que se levanta contra o conhecimento de Deus, e levamos cativo todo pensamento, para torná-lo obediente a Cristo (2 Coríntios 10:3-5).

Se não conhecermos a Palavra, não teremos nada com que comparar as teorias e sofismas que militam contra a vontade perfeita de Deus para nós. O diabo pode apresentar ideias tremendas que fazem sentido para nós, mas apenas porque algo nos parece lógico isto não significa necessariamente que provém de Deus. Podemos ouvir o que queremos ouvir, mas isto não significa necessariamente que ouvimos a voz de Deus. Uma ideia pode causar uma *sensação* boa nas nossas emoções, mas pode deixar de nos dar paz quando não está alinhada com a Palavra de Deus.

Separe algum tempo todos os dias apenas para a leitura da Palavra. Talvez você aprecie um determinado plano de leitura. Gosto da *Amplified Bible* porque ela explica o significado de palavras importantes. Também é bom ler várias versões da Bíblia para termos uma nova percepção. Há livros de consulta maravilhosos disponíveis para nos dar o contexto histórico da Palavra e as implicações culturais da época em que as Escrituras foram escritas. O importante é simplesmente ler. Deus pode dar vida às respostas que estão ocultas nas páginas da Sua Palavra escrita para lidar com qualquer provação que você possa estar enfrentando.

> *Conhecer a Palavra escrita nos protege do engano..*

DEUS FALA ATRAVÉS DA SABEDORIA E DO BOM SENSO

Uma das minhas formas favoritas de ouvir a voz de Deus é através da sabedoria convencional e do bom senso. A sabedoria discerne a verdade em uma situação, ao passo que o bom senso fornece um bom julgamento sobre o que fazer acerca da verdade. Considero a sabedoria sobrenatural porque ela não é ensinada pelos homens, mas é um dom de Deus.

Muitas pessoas sofisticadas e inteligentes ainda têm falta de sabedoria e bom senso. A Palavra diz: "Se algum de vocês tem falta de sabedoria, peça-a a Deus, que a todos dá livremente, de boa vontade; e lhe será concedida" (Tiago 1:5).

Na verdade, fico impressionada em ver como muitas pessoas parecem achar que todo o seu bom senso deve desaparecer para que elas sejam "espirituais". Pessoas espirituais não flutuam por aí o dia inteiro em nuvens de glória vendo anjos e ouvindo vozes sobrenaturais. Vivemos em um mundo real com problemas reais e precisamos de respostas reais. As respostas são encontradas na Palavra de Deus e nos são reveladas pelo Seu Espírito.

Nós fazemos a nossa parte ao buscarmos, e Ele faz a parte Dele ao falar, mas Ele é o Espírito de Sabedoria, e não nos dirá para fazer coisas insensatas. A sabedoria e o bom senso estão intimamente ligados. Gosto de dizer que sabedoria é escolher fazer hoje o que nos trará satisfação amanhã ou mais tarde em nossa vida.

Quando estou fazendo compras, geralmente busco a Deus pedindo sabedoria quanto ao que comprar. Não oro a respeito de tudo que compro, mas tento reconhecer Deus em todos os meus caminhos. Se vou gastar uma determinada quantia, espero na presença do Senhor por um instante para ver se sinto paz a respeito disso ou não.

Muitas vezes pedimos a Deus para nos falar e para nos dirigir, mas se Ele não responder com uma palavra específica, ainda assim temos de viver a nossa vida diária. Tomamos decisões o dia inteiro, e Deus não vai ditar cada pequena escolha que fazemos, mas Ele realmente nos dá sabedoria para atravessarmos o nosso dia. Quando não recebemos uma palavra *rhema* de Deus, precisamos usar a sabedoria convencional nas escolhas que fazemos.

Se Deus fala comigo, aprendi a fazer especificamente aquilo que Ele me diz para fazer. Mas se Deus não fala comigo especificamente, isto não significa que Ele não está me guiando. Há algumas questões sobre as quais Deus já confia em mim o bastante para saber o que é certo e errado. Não tenho de ter uma "palavra maior" da parte de Deus. Mas aprendi a esperar nele para ver se há necessidade Dele intervir no caminho que estou planejando seguir.

Por exemplo, se estou pensando: *Senhor, devo comprar isto?* e não ouço nada da parte de Deus, nesse caso uma das coisas que pergunto a mim mesma é: *Posso pagar por isto?* Obviamente, se eu não posso pagar, a sabedoria diz: "Não compre". A voz audível de Deus não é necessária quando a sabedoria já está gritando a verdade.

Se as pessoas dessem ouvidos à sabedoria, elas ficariam longe de muitos problemas. O livro de Provérbios é uma ótima fonte de sabedoria. Recomendo que você leia pelo menos alguns versículos de Provérbios ou Salmos diariamente. Não estou tentando estabelecer regras ou regulamentos, mas simplesmente estou compartilhando aquilo que foi proveitoso para mim. Na maioria dos dias, leio algo desses dois livros. Os Salmos sempre me encorajam e me edificam, e o livro de Provérbios me diz como ficar longe de problemas.

Deus comunica sabedoria a nós através do que chamo de "bom senso santificado". Muitas pessoas, até mesmo cristãos, ignoram o seu bom senso e tomam decisões tolas. Um exemplo da ausência do uso do bom senso é quando as pessoas sentem que algum mal vai acontecer com alguém, então elas chamam essa pessoa e dizem: "Tenho orado por você, e sinto que algo de muito ruim vai acontecer com você". O ponto principal é: não acredito que seja sábio dizer coisas assim a ninguém. Este tipo de notícia só pode gerar medo, e a Palavra de Deus diz que não devemos temer. O bom senso nos diz que se o que estamos ouvindo sobre alguém procede de Deus, então Ele nos deu esse aviso para que oremos pela proteção daquela pessoa. Que bem faria assustar a pessoa com uma notícia assim?

Se as pessoas dessem ouvidos à sabedoria, elas ficaram longe de muitos problemas.

Não vou descartar o fato de que Deus pode nos levar a dizer a alguém uma palavra específica para uma ocasião específica, mas Ele não nos diria para impressionarmos alguém com um medo generalizado. Há uma enorme diferença entre estas duas coisas. Só o bom senso nos ajudará a chegar a uma conclusão sobre o possível fruto das nossas decisões e nos ajudará a saber o caminho a seguir. Peça a Deus que lhe dê um bom senso santificado para guiá-lo.

Aprecio muito as pessoas que usam o bom senso. Às vezes prefiro estar perto de uma pessoa que é conhecida por seu bom senso do que de alguém que é considerado um gigante espiritual.

DEUS FALA ATRAVÉS DE SONHOS E VISÕES

Na Bíblia há muitos relatos de Deus falando às pessoas através de sonhos e visões, mas esta é uma das formas menos comuns que Deus usa para falar conosco. Não podemos presumir que todo sonho procede de Deus. Se fizermos isso, podemos interpretar erroneamente algumas imagens que podem nos levar a nos desviarmos.

Sonho muito, mas a maioria dos meus sonhos não é profética. Não tive muitos sonhos que sinto que tenham sido mensagens espirituais, mas tive alguns que sei que vieram de Deus, porque ou recebi a interpretação imediatamente ao acordar, ou ele simplesmente não desaparecia da minha memória até Deus revelar o seu significado.

Eis um exemplo de um sonho espiritual que tive certa vez. Eu havia deixado meu emprego em uma igreja em St. Louis para seguir por conta própria. Eu estava *realmente* assustada com o fato de ingressar no ministério em tempo integral. Certa noite, tive este sonho:

Estava dirigindo por uma estrada, e estava em uma fila em um engarrafamento. Todos os outros motoristas estavam saindo da estrada e estacionando no acostamento, ou estavam desacelerando para encontrar um lugar onde pudessem fazer a volta e seguir na direção oposta. Eu me perguntava o que estava acontecendo mais à frente que estava fazendo com que todas aquelas pessoas estacionassem seus carros ou voltassem para o caminho de onde estavam vindo. Esforcei-me para ver algo adiante, e vi que a estrada levava a uma ponte que estava totalmente submersa pela água. Naturalmente, percebi por que todas as pessoas estavam com medo de seguir em frente.

Olhei para a ponte, depois me voltei para olhar para o lugar de onde eu tinha vindo. Depois olhei para a ponte novamente e me virei para olhar para o lugar de onde havia vindo.

No instante em que acordei, Deus falou comigo e disse: "Joyce, você está em uma nova jornada. Você está em uma estrada que às vezes parecerá um pouco perigosa ou insegura. Você vai se sentir um pouco insegura". Mas Ele disse: "Sempre haverá muitos lugares na estrada onde você poderá estacionar, muitos lugares onde você poderá voltar para o lugar de onde veio, mas estou procurando alguém que vá até o fim e faça o que eu lhe disser para fazer".

Soube naquele instante o que Deus estava me dizendo, e confiei nessa palavra muitas vezes quando passei por dificuldades ou quando as coisas pareciam difíceis. Lembrei-me de como Deus me havia advertido no princípio de que eu seria tentada a estacionar onde estava ou voltar, porque não sabia o que havia à minha frente. Saber que tempos difíceis seriam parte do Seu plano me ajudou a continuar seguindo em frente através de caminhos incertos.

Durante um certo período, Deus esteve tratando seriamente comigo com relação à minha atitude. Ele me repreendeu com relação aos meus atos em dias de rebelião e grosseria. Era óbvio que Deus seria irredutível até que eu me humilhasse e me submetesse à Sua instrução.

Durante esse período de desânimo, sonhei com uma fileira de cinco ou seis casas modelo de belíssima aparência em exibição em um novo bairro. As casas variavam em tamanho, e a casa que notei em especial era uma das maiores. Eu via as pessoas entrando na casa. À medida que elas passavam pelos cômodos, viam todo tipo de lixo deixado pela equipe de construção. Pedaços feios de entulho estavam por toda parte, pela casa toda, e principalmente no cômodo onde todos entravam. Quando acordei, entendi imediatamente a interpretação deste sonho.

O Senhor me disse: "Estamos nos preparando para entrar na televisão em poucas semanas, e estou me preparando para colocá-la em exibição; mas quando as pessoas olharem para a sua vida, não quero que elas encontrem lixo".

Aquele sonho me consolou, porque era uma palavra positiva da parte do Senhor. Embora tenha sido difícil suportar a correção do Senhor, entendi que Ele realmente não podia me colocar em exibição como queria até que eu me moldasse mais ao Seu plano.

Por outro lado, tive literalmente milhares de sonhos que não faziam sentido algum. Na verdade, se eu tentasse fazer com que eles significassem algo específico, poderia ficar muito confusa e possivelmente geraria muitos problemas. Os sonhos são interessantes, mas geralmente são muito instáveis para nos dar uma direção. Como você pode ter ouvido, muitos sonhos são "sonhos de feijoada" ou "sonhos de churrasco"; em outras palavras, eles são o resultado de termos comido algo pesado antes nos deitar, o que nos impede de cair em um sono profundo e restaurador, de modo que sonhamos com coisas incomuns durante a maior parte da noite.

Minha filha recentemente sonhou que eu era Presidente dos Estados Unidos e que todos estavam zangados comigo porque eu estava deixando as pessoas doentes. Fui lançada na prisão, mas o tribunal concordou em deixar que minha filha fosse comigo para cuidar de mim. Ela abarrotou o carro com todas as coisas de que gosto para que eu ficasse confortável na prisão; ela até levou água com gás, da qual costumo beber várias garrafas por dia.

Ela viu o guarda sair de repente para fazer outra coisa, e me disse para entrar no carro e fugir. Saltei para dentro do carro e saímos dali em alta velocidade enquanto ela ficava chamando por mim, tentando me dizer que eu havia esquecido meu celular.

Realmente conheço pessoas que tentariam "interpretar" este sonho e fazer dele algo de espiritual. Mas o fato é que minha família realmente brinca comigo acerca do fato de me tornar a primeira mulher presidente; minha filha está a cargo de muitos detalhes da minha vida, inclusive de fazer as minhas malas para as viagens; e toda a nossa família está excessivamente ligada aos seus aparelhos de telefone celular. Realmente não sei por que temos tantos sonhos estranhos e aparentemente confusos. Mas uma coisa é certa, em minha opinião, as pessoas que tentam extrair coisas em excesso de seus sonhos estão pedindo para serem enganadas.

Os sonhos são interessantes, mas geralmente são muito instáveis para nos dar uma direção.

Entendemos que Deus realmente fala através dos sonhos. Ele falou com José em um sonho, e José interpretou sonhos para Faraó, assim como para os servos de Faraó, com quem ele estava na prisão (ver Gênesis 40 e 41). Há inúmeros outros relatados na Bíblia a quem Deus falou através de sonhos. Joel 2:28 afirma que nos últimos dias os velhos terão sonhos, e os jovens terão visões.

Tenho uma amiga que tem muitos sonhos espirituais. Eu a conheço desde 1983, e durante estes anos ela compartilhou quatro sonhos que teve comigo. Cada um deles foi impressionantemente preciso.

Os sonhos certamente são uma das formas válidas que Deus usa para nos falar, mas esta também é uma área onde as pessoas podem facilmente perder o equilíbrio, simplesmente porque muitas pessoas em todo o mundo sonham quase todas as noites e não são sonhos espirituais. Use o discernimento, a sabedoria e o equilíbrio, e creio que você terá a confirmação em seu coração se um sonho que você teve é Deus tentando falar com você ou lhe mostrando alguma coisa.

Deus também fala conosco através de visões, que diferem dos sonhos que ocorrem enquanto estamos dormindo. Tive a experiência de dois tipos de visões. Refiro-me a uma delas como uma visão aberta, que acontece quando meus olhos estão abertos, mas vejo apenas a esfera espiritual em vez do quarto que me cerca.

Deus me deu uma visão breve que me mostrou que eu estava para levar o nosso ministério para o norte, o sul, o leste e o oeste. Eu havia entrado em um tempo especial de oração e jejum. Foi a primeira vez que tentei fazer jejum de água. Eu estava desesperada para ouvir a voz de Deus, porque achava que Ele estava me dizendo para deixar meu emprego em uma igreja e iniciar meu próprio ministério. Era uma decisão séria, então eu queria estar certa de que estava ouvindo claramente Sua voz.

Deus não nos dá visões apenas por diversão; creio que Deus fala conosco desta forma espetacular durante momentos de nossa vida em que precisamos de uma direção definida. As visões também parecem ocorrer às pessoas quando elas estão buscando a Deus de uma forma específica.

Outro tipo de visão, que experimentei com mais frequência, é quando vejo as coisas no espírito. Houve ocasiões em que estava olhando para alguém, mas em meu espírito estava vendo algo com relação àquela pessoa que meus olhos naturais não percebiam. Geralmente, quando vejo algo na esfera espiritual com relação a alguém, também recebo palavras proféticas para dar encorajamento específico a essa pessoa.

As visões são muito semelhantes aos sonhos; elas certamente são usadas por Deus, mas precisamos ter cuidado e examinar os espíritos como a Bíblia nos instrui a fazer (ver 1 João 4:1-3). Realmente creio que existem pessoas que têm o dom de sonhos e visões mais do que outras.

Conheci algumas pessoas que parecem estar sempre vendo algo na esfera espiritual. Elas falam sobre ver anjos do mesmo modo que eu vejo pessoas. Não quero presumir que elas não veem anjos simplesmente porque meus dons não funcionam assim; nem tento fazer alguma coisa acontecer comigo só porque algumas pessoas me disseram que acontece com elas. Aprendi a deixar estas coisas com Deus. Neste livro, optei por falar mais sobre o que *normalmente* acontece com a *maioria* das pessoas, e não sobre o que *pode* acontecer com *algumas* apenas.

Creio que se exaltarmos o que acontece apenas com alguns, isto faz com que todos aqueles que não têm experiências semelhantes pensem que algo lhes falta de alguma forma, – que são espiritualmente subdesenvolvidos ou que simplesmente não sabem como ouvir a voz de Deus. Conheço pessoas às quais Jesus apareceu diversas vezes, até mesmo sentando-se ao lado da cama delas e iniciando uma conversa por bastante tempo; mas isto nunca aconteceu comigo.

Quando era menos segura em relação aos meus próprios dons espirituais, eu me comparava com essas pessoas, e me perguntava: *O que há de errado comigo?* Desde então, aprendi que sou uma pessoa singular, com um chamado exclusivo e individual. Recebi dons de Deus de acordo com esse chamado, e todos eles são destinados ao propósito de Deus dentro do Seu plano.

Estou contente e satisfeita, e encorajo você com veemência a adotar a mesma atitude. Afinal, "O homem não pode receber coisa alguma [ele não pode reivindicar nada, nem tomar nada para si] exceto se do céu lhe for concedido. [O homem deve estar contente em receber o dom que lhe é dado do céu; não há nenhuma outra fonte]" (João 3:27, AMP).

DEUS FALA ATRAVÉS DE PROFECIAS

Às vezes o Senhor fala profeticamente através de outras pessoas para revelar a Sua vontade para as nossas vidas. Uma profecia inspirada por Deus fortalece, encoraja e consola aquele que a recebe (ver 1 Coríntios 14:3).

Há uma diferença entre uma pessoa que tem um dom de profecia e alguém que é chamado para a função de profeta no corpo de Cristo. Um profeta tem uma palavra mais forte para a igreja como um todo em relação a alguém que está atuando no dom de profecia para fortalecer e encorajar os crentes individualmente. A Palavra nos encoraja a darmos boas-vindas à profecia divinamente inspirada:

> Sigam o caminho do amor e busquem com dedicação os dons espirituais, principalmente o dom de profecia... quem profetiza o faz para edificação, encorajamento e consolação dos homens... quem profetiza edifica a igreja (1 Coríntios 14:1, 3, 4).

A profecia deve estar alinhada com a Palavra de Deus, e uma palavra pessoal de profecia deve confirmar algo que já está em seu coração. É bom quando isto acontece, porque você sabe que aquela pessoa não sabia nada sobre o que Deus estava lhe dizendo. Mas se alguém lhe diz para ir para o campo missionário, ou para o Seminário, não largue seu emprego e vá a não ser que *você saiba* que Deus falou esta mesma palavra ao seu coração. Vi pessoas se meterem em situações terríveis por tentarem dirigir suas vidas com base no que outras pessoas lhes disseram como uma "mensagem profética da parte de Deus".

A oposição é um dos maiores sinais de que a mensagem deles procede realmente de Deus.

Se a profecia não testificar no seu coração, não se preocupe com isso. Há muitas pessoas bem intencionadas que pensam estar ouvindo a voz de Deus para os outros, mas não estão. Se alguém profetizar algo para você que já não esteja no seu coração, sugiro que você anote as palavras que lhe forem ministradas e apenas espere que o Senhor lhe revele se as palavras procedem Dele ou não.

Muitas pessoas compartilham comigo sua preocupação ao tentarem fazer algo porque alguém profetizou que elas deveriam fazê-lo. Muitas vezes elas não estão chegando a lugar algum e, portanto, estão confusas. Entristece-me quando vejo as pessoas se esforçando para fazer com que uma profecia se cumpra, porque não devemos reger as nossas vidas por este tipo de coisa.

Se uma palavra realmente procede de Deus, *Ele fará com que ela se cumpra* no Seu devido tempo. Deixe a profecia de lado e simplesmente espere para ver se Deus a fará se cumprir. Ele lhe falará de outras formas para confirmar esta palavra, se proceder realmente Dele.

Conheço situações em que cinco a dez anos se passaram antes que algo acontecesse para provar que uma profecia realmente provinha de Deus. Assim, mesmo quando temos uma direção clara de Deus, precisamos deixar que Ele cumpra as Suas promessas sem tentarmos manipular a manifestação delas. Quando uma promessa realmente se cumpre, o Espírito Santo trará à nossa memória aquela palavra que recebemos anos antes, para que saibamos que realmente estamos andando dentro do plano perfeito de Deus.

Se uma boa palavra tiver sido ministrada a você através de outros crentes que oram e são de Deus, a oposição é um dos maiores sinais de que a mensagem deles realmente procede de Deus. Faça menção da mensagem falada ou escrita quando o diabo lhe disser que você não foi chamado ou que nunca irá fazer o que está em seu coração ou que nunca prosperará nem conquistará uma mudança na sua situação. A sua arma contra os ataques dele serão as palavras que lhe foram profetizadas.

Lembre-se, o que lhe foi dito através do dom de profecia o ajudará a permanecer firme na fé quando o diabo agir contra o seu chamado. Se a profecia realmente proceder de Deus, o diabo finalmente aparecerá para desanimá-lo de crer na verdade, e você poderá permanecer firme na fé porque sabe o que o Senhor lhe disse.

Enquanto espera que Deus se mova, você deve seguir as instruções dadas a Timóteo pelo apóstolo Paulo:

> Até à minha chegada, dedique-se à leitura pública da Escritura, à exortação e ao ensino. Não negligencie o dom que lhe foi dado por mensagem profética com imposição de mãos dos presbíteros. Seja diligente nessas coisas; dedique-se inteiramente a elas. Atente bem para a sua própria vida e para a doutrina, perseverando nesses deveres, pois, agindo assim, você salvará tanto a si mesmo quanto aos que o ouvem (1 Timóteo 4:13-16).

Não devemos buscar especificamente uma determinada forma pela qual Deus fale conosco. Há vezes em que digo ao Senhor que gostaria que Ele me desse uma palavra, mas não peço a Ele que a envie de uma determinada maneira. Não fico arrasada ou decepcionada quando alguém que é ungido com um dom profético não tem uma palavra para mim. Confio que se Deus quiser falar comigo de determinada maneira, Ele o fará.

De todos os pedidos de oração que recebemos em nosso escritório, o maior percentual é de pessoas que têm problemas e não sabem o que fazer. Elas querem ouvir a voz de Deus. Elas precisam tomar uma decisão, e assim pedem oração para que possam saber o que fazer. A indecisão faz com que nos sintamos desconfortáveis, mas a nossa confusão é ampliada quando começamos a correr em busca de outras pessoas, perguntando a elas o que devemos fazer.

Acho interessante o fato de que, após ter pregado a Palavra durante um fim de semana inteiro, alguém sempre vem até mim depois da conferência e diz: "Acredito que Deus disse que você tem uma palavra para mim".

Fico perplexa, pensando: *Bem, o que você acha que eu tinha para lhe dizer durante os últimos três dias?* Ora, faço a gentileza de orar por elas para ver se Deus me diz alguma coisa em seu benefício, mas na maioria das vezes as pessoas apenas querem ser guiadas pelo que alguém tem a dizer. É triste que haja tantas pessoas inseguras no mundo que acreditam que não podem ouvir a voz de Deus por si mesmas. Elas passam a vida inteira tentando ouvir Deus falar através de outras pessoas.

Se você perder o equilíbrio por estar sempre perguntando às pessoas o que deve fazer, isto impedirá a sua capacidade de ouvir a Deus por si mesmo. Além disso, a maioria das pessoas nem sequer sabe o que está fazendo, de modo que não estão qualificadas para lhe dizer o que você deve fazer. Não tenho a intenção de insultar ninguém com esta afirmação, mas a maioria das pessoas está tentando solucionar problemas suficientes em suas próprias vidas, sem assumir a responsabilidade pela sua vida também.

Há vezes em que as pessoas me perguntam o que eu acho que Deus quer que elas façam em determinada situação. Quando sei o que a Palavra diz sobre aquela situação específica, compartilho com elas. Ou quando tenho algum discernimento sobre a situação, compartilho também. Mas muitas vezes me sinto pressionada quando as pessoas querem que eu tome as decisões por elas. Ajuda muito o fato de eu saber que não é assunto meu ouvir a voz de Deus para os outros. O meu trabalho é *ensinar* as pessoas a ouvirem a voz de Deus por si mesmas, e não ouvir por elas! O Espírito Santo pode guiar a todos nós individualmente.

Há algum tempo, um casal que havia trabalhado para nós por mais de doze anos ficou insatisfeito com a posição que ocupava, e sentiram que Deus queria que eles fizessem outra coisa; no entanto, não tinham ideia do que era. Eles sentiam que o tempo deles no nosso ministério havia chegado ao fim e que haviam perdido a graça para exercer os cargos que ocupavam. Eles não queriam trabalhar mais conosco, mas também não queriam ficar sem emprego. Eles foram procurar Dave e eu e disseram: "Acreditamos que Deus lhes mostrará o que devemos fazer".

Algumas pessoas têm prazer em dizer aos outros o que fazer com suas vidas, mas eu não sou uma delas. Particularmente, não gosto de assumir este tipo de responsabilidade. Acho que tenho o bastante para fazer tentando administrar minha própria vida e ministério e tentando ouvir a voz de Deus para mim mesma. Além disso, as pessoas precisam ter certeza e confiança de que ouviram a voz de Deus e não a voz dos outros. Se isso não acontecer, elas ficarão inseguras e até confusas durante os tempos de provação, o que quase sempre acontece mais cedo ou mais tarde.

Temos de deixar Deus introduzir a profecia em nossas vidas.

Simplesmente compartilhamos com aquele casal o que acreditávamos ser alguns princípios de sabedoria, mas não poderíamos dizer a eles definitivamente para ficarem ou saírem. Era uma decisão importante que precisava ser tomada por eles, principalmente pelo fato de afetar seu destino e seus rendimentos.

Deus é um deus ciumento, e não aprova o fato de estarmos sempre colocando as pessoas na frente Dele, correndo para perguntar a elas o que devemos fazer. Creio que devemos descobrir o que Deus diz sobre a nossa situação na Sua Palavra, explorar a Sua sabedoria, e deixar que a nossa decisão se estabeleça através da paz em nosso coração. Depois, se acharmos que precisamos, podemos ocasionalmente procurar alguém em quem confiamos para buscar a vontade de Deus em oração a nosso favor, apenas para verificar novamente se o que queremos fazer está certo. Em um capítulo posterior, compartilharei como Deus às vezes usa o conselho dos outros, mas mesmo nesse caso devemos procurar ter equilíbrio. O conselho das pessoas deve estar alinhado com a Palavra de Deus e ser provado pela testificação interior da verdade de Deus.

Temos de deixar Deus introduzir a profecia em nossas vidas, do contrário nunca saberemos se ela foi algo que provocamos por nós mesmos. Se perguntarmos às pessoas se elas têm uma palavra da parte do Senhor para nós, elas podem dizer algo da sua própria carne só porque não sabem o que fazer.

Precisamos confiar que Deus falará ao nosso coração. Nos muitos anos em que andei com Deus, nunca perguntei se alguém tinha uma profecia para mim. Se alguém tem uma palavra para nós, Deus resolverá isso de forma sobrenatural sem que o busquemos. Não precisamos procurar e perguntar: "Você tem uma palavra para mim?" Profetizo ocasionalmente, mas digo às pessoas para não regerem suas vidas pela profecia pessoal.

Um homem chamado Fred participou de um de nossos seminários sobre casamento. Fred compartilhou conosco que estava sendo maltratado em seu trabalho e que era mal remunerado. Ele era rebaixado e ridicularizado, embora houvesse dedicado anos de serviço fiel a seu patrão. Era óbvio que ele não estava sendo tratado corretamente.

O Espírito do Senhor veio sobre mim, e profetizei para Fred dizendo que ele teria um emprego onde seria respeitado, onde as pessoas pediriam conselhos a ele, e onde ele ganharia um bom dinheiro. Então, a situação piorou muito antes que a palavra que ele havia recebido de Deus provasse ser verdadeira. Mas a situação dele acabou *realmente melhorando*. Não aconteceu depressa, mas uma palavra realmente de Deus sempre se cumprirá. A profecia tem a finalidade de nos encorajar com a promessa de Deus para nós enquanto esperamos que Ele a realize em nossas vidas.

Admito que não sou diferente de ninguém, e também gosto de receber uma palavra de refrigério que realmente venha do Senhor. É maravilhoso ouvir a voz de Deus falar conosco especificamente através de alguém que não teria como conhecer as nossas necessidades. A profecia é um dom tremendo de Deus, mas não devemos ficar dependentes de uma palavra de profecia. É mais importante recebermos direção pela Palavra de Deus.

Quanto mais maduros somos no Senhor, mais ouvimos a voz de Deus por nós mesmos sem a intervenção sobrenatural de uma mensagem profética através de outra pessoa. À medida que aprende a ouvir a voz de Deus por si mesmo, você poderá descobrir que receberá menos palavras através de outros do que recebia no começo da sua caminhada.

Quando Deus me chamou para o ministério, recebi muitas palavras proféticas através de outras pessoas. Mas houve momentos em meu ministério em que passei anos sem uma única palavra profética ser dita a mim. É um grande presente quando ela nos é dada, mas não devemos esperar por uma palavra ou permitir que a nossa vida seja governada por algo que alguém nos disse. Devemos ler e estudar diligentemente a Palavra, pregar, e ensinar as boas novas. Ao fazermos isto, Deus realizará o Seu plano através de nós e para nós.

QUESTÕES PARA REFLETIR

1. Você já sentiu o Senhor lhe dizer algo? Você está permitindo que Ele cumpra a Sua palavra, ou está tentando fazer com que ela se cumpra?

2. Por que permanecer na Palavra é tão importante? Como isto nos protege do engano? O que você está fazendo agora para garantir que esteja bebendo profundamente da Palavra? Você tem um plano?

3. Como você pode determinar se o que alguém profetizou para você é verdade ou não?

4. Você tem preconceito contra palavras proféticas? Se tiver, tente explicar ou analisar por que você sente isso.

5. Você é impelido a procurar palavras proféticas de outras pessoas para a sua situação? Em caso positivo, você se sente dificuldade em buscar uma resposta do Senhor por si mesmo? Por quê?

6. Quais são as formas – expostas neste capítulo – pelas quais o Senhor fala conosco? Você já teve a experiência de ouvir Deus falar com você dessas maneiras? Descreva.

7. O que você acha que Deus o está conduzindo a fazer em resposta a este capítulo?

Deus Fala Através das Coisas Naturais

Em Sua compaixão pela humanidade, Deus não escondeu a verdade da Sua existência de ninguém. A Palavra diz que Ele se revela a *todas* as pessoas:

> Porquanto o que de Deus se pode conhecer é manifesto entre eles e elucidado em suas consciências, porque [o próprio] Deus lhes manifestou. Porque a natureza invisível e os atributos de Deus, isto é, o Seu eterno poder e divindade, claramente se reconhecem e se fizeram inteligíveis, desde o princípio do mundo, sendo percebidos por meio e através das coisas que foram criadas (as obras das Suas mãos). Tais homens são, por isso, indesculpáveis [não têm qualquer defesa ou justificação] (Romanos 1:19-20, AMP).

Os homens que hoje afirmam ser ateus, um dia comparecerão sem defesa perante o Senhor, porque Deus fala a todos através das obras de Suas mãos. Até as pessoas que vivem fora da vontade de Deus percebem o que é certo e errado e a realidade de Deus, porque a própria natureza testifica do poder e do plano divino de Deus. O Salmo 19:1-4 diz:

> Os céus declaram a glória de Deus; o firmamento proclama a obra das suas mãos. Um dia fala disso a outro dia; uma noite o revela a

outra noite. Sem discurso nem palavras, não se ouve a sua voz. Mas a sua voz ressoa por toda a terra, e as suas palavras, até os confins do mundo. Nos céus ele armou uma tenda para o sol.

Eu o encorajo a separar um tempo para olhar para o que Deus criou. A principal coisa que Deus nos diz através da natureza é que *Ele existe*. Ponto final. É uma revelação importante porque a Bíblia diz que antes que possamos chegar a qualquer lugar com Deus, primeiro precisamos crer que Ele existe: "Sem fé é impossível agradar a Deus, pois quem dele se aproxima precisa crer que ele existe e que recompensa aqueles que o buscam" (Hebreus 11:6).

Deus deu a cada pessoa uma medida de fé para crer nele (ver Romanos 12:3). As primeiras palavras da Bíblia são a nossa primeira lição de fé: "No princípio, Deus..." Muitas pessoas reconhecem que Deus existe, mas elas não aprenderam a se relacionar com Ele diariamente quando enfrentam lutas ou dificuldades. Pela graça, Deus tenta nos alcançar todos os dias, e Ele coloca lembretes de Si mesmo em toda parte. Ele deixa pistas de Si mesmo à nossa volta, pistas que falam alto e claramente: "Estou aqui. Você não precisa viver com medo, você não tem de se preocupar, estou aqui".

Jesus disse que devemos olhar os lírios do campo (ver Mateus 6:28) e os corvos nos céus (ver Lucas 12:24). Meditar sobre como Deus adorna os campos e provê alimento para os pássaros pode nos lembrar de que Ele se importa ainda mais conosco. Uma boa caminhada ao ar livre é uma ótima oportunidade para tirar um breve descanso das pressões da vida diária e olhar as árvores, os pássaros, as flores, e as crianças brincando. Como alguém pode olhar para um bebê e duvidar da existência de Deus?

Quando refletimos sobre como algumas árvores parecem totalmente mortas no inverno e, no entanto, voltam à vida em cada primavera, isto nos lembra de que Deus fará com que nossas vidas floresçam novamente ainda que achemos que a nossa situação não tem esperança. Podemos olhar uma árvore e pensar: *No inverno passado ela parecia estéril, mas agora está florescendo.*

Quando preciso de uma pausa em meu trabalho, gosto de olhar para uma árvore e vê-la balançar ao vento. Observo as folhas mortas de pinheiro agarradas aos galhos, mas então um vento forte sopra para longe as folhas mortas e dá lugar aos novos brotos prontos para crescer. Isto me lembra de como o vento do Espírito é fiel ao soprar para longe as coisas que não são mais necessárias em nossas vidas, e como podemos confiar em Deus para proteger tudo que precisa permanecer.

A cada manhã o sol se levanta, e a cada noite ele se põe. As estrelas aparecem no céu, e o universo permanece em ordem como um lembrete de que Deus está cuidando de nós. Ele mantém os planetas em sua órbita, e Ele pode manter as nossas vidas em ordem também.

Pela graça, Deus tenta nos alcançar todos os dias.

O oceano é impressionantemente imenso, e, no entanto, as poderosas ondas param em um certo ponto porque Deus ordenou que elas não passem dali (ver Provérbios 8:29). Pense em todos os animais diferentes e em como Deus deu a cada um deles uma maneira de se proteger. Alguns mudam de cor para se igualar ao ambiente quando o perigo se aproxima, e outros lançam veneno contra seu atacante.

No livro de Jó, Deus perguntou a Jó: "Como se vai ao lugar onde mora a luz? E onde está a residência das trevas?" (ver Jó 38:19). A questão é que não sabemos tudo que há para saber sobre Deus; não vimos onde o vendo, a chuva ou o relâmpago são guardados (v. 22). Parece que qualquer pessoa que raciocine poderia ter certeza da existência de Deus simplesmente observando a natureza, e, no entanto, existem aqueles que insistem em não acreditar.

DEUS FALA ATRAVÉS DAS NOSSAS HABILIDADES NATURAIS

Nós nos perguntamos: *O que devo fazer com a minha vida? Qual é o meu propósito aqui? Deus tem um chamado para a minha vida?* Deus responde a estas perguntas através dos nossos dons e habilidades naturais. Ele nos conduz ao nosso propósito através das habilidades naturais e talentos exclusivos que nos concede.

Os dons dados por Deus são as habilidades que uma pessoa exerce com facilidade, sem nenhum treinamento formal. Muitos grandes artistas sabem como unir formas e cores, e assim gostam de projetar prédios ou esculpir artigos belos e úteis. Muitos compositores simplesmente escrevem a música que ouvem em sua mente. Algumas pessoas são excelentes em organização, enquanto outras são conselheiros naturais, ajudando as pessoas a resolverem suas vidas e seus relacionamentos. Encontramos um grande prazer em fazer o que fazemos bem naturalmente.

Se você não tem certeza de qual é o seu propósito, simplesmente faça aquilo que você faz bem, e depois veja Deus confirmar isso abençoando os seus empreendimentos. Não desperdice a sua vida tentando fazer o que você não é dotado para fazer. Tentei plantar um jardim, fazer tomates em conserva e costurar as roupas de meu esposo. Eu não era boa em nenhuma dessas coisas, e detestava até mesmo tentar fazê-las! Era óbvio que Deus não estava me chamando para plantar e conservar tomates ou para costurar. Mas e se ninguém gostasse de jardinagem ou de conservas ou de fazer roupas? Deus mantém o nosso mundo equilibrado dando a cada um de nós um talento natural e o prazer de fazer o que precisa ser feito para o bem de todos os que nos cercam.

Deus fala sobre esta divisão de dons em diversos lugares na Sua Palavra. Gênesis 4:20-22 menciona que Jabal foi o pai dos que criavam gado e compravam terras. Seu irmão Jubal foi o pai dos músicos que tocavam a harpa e a flauta. Seu meio irmão Tubalcaim forjava instrumentos feitos de bronze e ferro. Quando Salomão construiu o templo, Deus deu poder a artesãos experimentados para fazerem a obra (ver 2 Crônicas 2).

Então, novamente, na igreja do Novo Testamento, Deus deixa caro que Ele nos chama para trabalharmos juntos como um corpo em Cristo. Ele levanta alguns para serem apóstolos, outros para serem profetas, e outros mestres. Algumas pessoas recebem fé para serem operadoras de milagres, outras possuem dons de cura, outras são dotadas para ajudar pessoas, algumas têm o dom da administração, e a Palavra diz que algumas falam em línguas estranhas (ver 1 Coríntios 12:28).

Tentei ser como outras mulheres que eu admirava, mas não entendia naquele tempo que elas haviam sido dotadas para fazer o que faziam. Se trabalharmos fazendo o que detestamos fazer, não seremos bons naquilo, e não glorificaremos a Deus com as nossas vidas. Deus veio para nos dar vida abundante, e não uma vida miserável (ver João 10:10).

Deus quer que desfrutemos a vida. Como podemos desfrutar passar o tempo fazendo algo que detestamos fazer? Existem testes maravilhosos disponíveis para nos ajudar a descobrir quais trabalhos poderíamos gostar de realizar. Existem testes para nos ajudar a entender como processamos as informações e tomamos decisões, exclusivos para a nossa personalidade. E existem testes que medem os nossos dons espirituais.

Quando as pessoas trabalham exercendo funções para as quais não são dotadas, elas se tornam rapidamente infelizes, e deixam todos ao seu redor infelizes também. Até criando nossos filhos precisamos ver em que eles são bons e dar a eles tarefas domésticas de acordo com os seus dons. Não tem sentido fazer com que todos façam as mesmas coisas, porque não somos iguais. Deus precisa de cada um de nós no nosso lugar. Ele precisa que cada um de nós funcione no nosso potencial máximo, sem desperdiçar tempo competindo com alguém que possui dons e talentos diferentes.

Quando equipes de empregados estão no lugar certo, cada um em sua área, as operações correm como uma máquina sintonizada com precisão. Se fizermos o que fazemos bem, nós gostaremos disso, porque sentiremos a unção de Deus sobre nossos esforços e realizações.

Deus fala conosco através desta unção interior. Sabemos que estamos atuando nos nossos dons e chamado quando o que fazemos ministra vida a outros. Se o que fazemos nos torna infelizes e nos enche de uma sensação de desprazer, é possível que não estejamos dentro da vontade perfeita de Deus. Deus nos dá paz e alegria para que saibamos que estamos cumprindo o Seu plano perfeito.

Você pode ser chamado para fazer algo que parece difícil para a sua carne, mas se conseguir ir além das suas dúvidas iniciais e descobrir que sente paz ao fazer isso, então você saberá que Deus está confirmando os seus talentos naturais.

Uma mulher, a quem chamarei de Sharon (embora este não seja o seu nome real), trabalhou como nossa governanta há muito tempo, mas ela não achava que seu trabalho era importante. Ela queria fazer outra coisa, e pediu a Deus para dirigi-la para outra função. Quando Sharon nos deixou, ela tentou vários outros empregos, mas nada lhe dava um sentimento de realização. Ela acabou trabalhando como governanta para outra pessoa e descobriu que era fácil para ela fazer esse trabalho e encontrar pessoas que precisassem dela. Ela completou um círculo e acabou trabalhando para nós novamente fazendo exatamente o que havia feito anos antes. A diferença era que desta vez ela estava feliz – e em paz.

As pessoas que são ungidas para o ministério de "auxílio" geralmente lutam contra o sentimento de que seu trabalho não é importante. Satanás as engana para impedir que elas cumpram o seu propósito. As ideias de Deus nunca são alcançadas sem a ajuda de todo o corpo trabalhando junto em direção ao Seu alvo comum. O diabo odeia a nossa unção e a nossa unidade quando usamos os nossos dons para complementar o chamado uns dos outros.

É importante ouvir a voz de Deus e descobrir onde você é chamado para florescer. Depois disso, vá para onde você deveria estar – fique plantado, enraizado, e fundamento – para que você possa dar frutos. Não temos anos suficientes nesta terra para ficarmos infelizes trabalhando nas funções erradas. Às vezes ficamos cansados de fazer o que fomos ungidos para fazer. Mas descobrimos que ficamos infelizes quando tentamos fazer algo que não fomos chamados para fazer.

Deus falará com você através dos seus próprios dons e talentos. Assegure-se de que o que você está fazendo ministre vida a você e não morte. Procure pela evidência da graça em sua vida. Se a graça não estiver presente, você ficará se esforçando através de obras da carne que não foram ordenadas por Deus. Sei que estou envolvida com as obras da carne quando estou me esforçando sem parar para conseguir realizar algo e acabo ficando ressentida com o processo. Quando não há desejo ou energia por parte do Espírito Santo, e detesto executar a tarefa, sei que Deus está me dizendo que há algo errado com o meu plano.

Quando estávamos trabalhando arduamente para entrar na televisão, fiquei tão cansada que chorei, mas ainda assim eu estava amando o processo. Às vezes fico tão cansada depois dos nossos seminários que simplesmente choro diante do Senhor. Mas depois me levanto novamente e sinto o desejo ardente de que chegue a próxima conferência. Preciso ter graça sobre mim para fazer isto. Deus não nos dará a graça para fazermos algo que Ele não nos chamou para fazer.

Eu o encorajo a observar o que você gosta de fazer, o que você faz bem, o que Deus está lhe dando graça para fazer – e depois deixar Deus ser Deus em sua vida. Ele quer fluir através de você de muitas maneiras diferentes, mas talvez não seja do mesmo jeito que Ele flui através de outras pessoas. Confie na habilidade Dele em você e através de você, e não tenha medo de ser único.

DEUS FALA ATRAVÉS DAS PESSOAS

Como mencionei, devemos estar amadurecendo na nossa fé a ponto de não corrermos atrás de outra pessoa todas as vezes que precisamos saber o que fazer em determinada situação. Não estou querendo dizer que é errado procurar as pessoas que sentimos que são mais sábias do que nós para pedir-lhes uma palavra de aconselhamento. Mas creio que é errado, e um insulto a Deus, procurar as pessoas com muita frequência. Ter alguém que nos aconselhe não é necessariamente um problema; o problema ocorre quando procuramos o homem em vez de procurarmos a Deus. Deus é um Deus ciumento (ver Tiago 4:5 e Deuteronômio 4:24), e Ele quer que peçamos o Seu conselho.

O Rei Davi perguntou: "De onde me vem o socorro? O meu socorro vem do Senhor, que fez os céus e a terra" (Salmo 121:1-2). É importante estabelecer claramente em nossos corações que buscaremos a Deus em primeiro lugar, como Davi fez. Deus quer guiar cada um de nós – não apenas pregadores em tempo integral, mas cada pessoa que coloca a sua confiança nele.

Eu o encorajo a buscar o equilíbrio nesta área e a deixar de buscar a opinião das pessoas, caso você tenha o hábito constante de fazer isso. Discipline-se para ir a Deus em primeiro lugar, mas entenda que Ele pode usar o conselho de outros crentes para esclarecer as coisas para você ou para lhe dar a certeza de que você está realmente ouvindo a voz Dele.

As pessoas que nunca pedem ou recebem conselhos geralmente têm problemas sérios de orgulho. As pessoas podem nos dar uma palavra de aconselhamento que confirme o que já sentimos em nosso espírito. A melhor política é buscar a Deus e deixar que Ele escolha como e através de quem Ele quer falar conosco. Em Números 22:20-28, vemos que Deus escolheu falar ao profeta Balaão através da sua mula. Se não quisermos, ou por algum motivo não pudermos ouvir a voz de Deus, Ele usará muitas fontes naturais para nos alcançar — inclusive o homem.

Certamente há momentos em que Deus usa pessoas para dar "um conselho na hora certa" a um de Seus filhos (ver Provérbios 15:23). Se Ele escolher falar através de outra pessoa, o que Ele frequentemente faz, devemos receber humildemente a palavra de quem Deus escolher usar.

> Os planos fracassam por falta de conselho, mas são bem-sucedidos quando há muitos conselheiros. Dar resposta apropriada é motivo de alegria; e como é bom um conselho na hora certa! (Provérbios 15:22-23).

Estes versículos nos dizem que uma palavra certa dita no tempo certo é muito boa.

Busque a Deus e deixe que Ele escolha como e através de quem Ele quer lhe falar.

O nosso ministério fundou e supervisiona uma igreja no interior de St. Louis. Contratei uma nova secretária, e ela começou a frequentar aquela igreja. Depois de cerca de dois anos senti que ela desejava frequentar outra igreja, mas achava que eu poderia ficar ofendida já que a igreja que ela estaria deixando fazia parte do Ministério Joyce Meyer.

Esperei algumas semanas até falar com ela, porque queria ter certeza de que estava ouvindo a voz de Deus. Descobri que se o que estou sentindo vem de Deus, aquilo permanece comigo por algum tempo. Como previsto, aquele sentimento não passava, então me aproximei dela um dia e disse: "Não sei se você está feliz na igreja que está frequentando na cidade ou não, mas entendo que talvez ela não esteja atendendo às suas necessidades como uma moça solteira. Queria apenas lhe dizer que se você algum dia desejar frequentar outra igreja, não ficarei ofendida".

Ela olhou para mim impressionada e disse: "Joyce, isto é tão bom. Tenho sentido que Deus deseja que eu vá para outra igreja, mas realmente queria ter certeza de que o que eu estava ouvindo provinha de Deus. Essa é uma maravilhosa confirmação de que o que venho sentindo estava certo".

Deus estava me oferecendo uma resposta, mas eu não gostei de recebê-la através de um mensageiro.

Como eu disse, não é errado procurarmos outras pessoas. Pode até ser muito benéfico. Mas devemos nos apoiar principalmente em Deus; se Ele decidir falar conosco através de alguém, isto é escolha Dele. Como no caso de minha secretária, ela estava buscando a Deus, e não a mim. Deus optou por falar com ela através de mim.

Eis outro exemplo extraído de minha própria vida. Quando tudo vai bem em minha vida, tenho uma sensação de liberdade quando prego. Também sinto quando há uma grande oposição à minha mensagem, pois sinto uma perda de liberdade. Nessas ocasiões, sei que tenho de orar e depender de Deus para que ele se mova em meu favor.

Houve uma ocasião em que sabia que alguma coisa não estava certa, mas não conseguia discernir o que estava me incomodando. Isto continuou por tempo suficiente para afetar a minha pregação mais de uma vez. Todas as semanas em que eu realizava uma determinada reunião em St. Louis, sentia que ela havia sido o maior fiasco de todos os tempos. Todas as vezes que saíamos da reunião, eu comentava com Dave: "Oh, foi terrível!".

Ele perguntava: "O que você quer dizer? Foi uma mensagem maravilhosa!".

Algo estava me incomodando, e Deus foi gracioso o bastante para impedir que isto transparecesse na minha pregação, mas eu me sentia desconfortável. Depois de mais de duas semanas de preocupação, pensei: *Chega. Esta noite, vou ficar acordada até descobrir o que está acontecendo em minha vida. Não posso mais continuar assim.* Aquela sensação parecia me incomodar especialmente quando eu estava pregando. Fiquei acordada até tarde aquela noite para buscar a Deus, mas não conseguia ter nenhum direcionamento da parte Dele.

Então aprendi que Deus às vezes fala conosco através das outras pessoas. Quando levantei na manhã seguinte, Dave disse: "Creio que sei qual é o seu problema".

Pensei: *Ah, que ótimo! Deus não quer me dizer qual é o meu problema, mas Ele vai dizer ao Dave qual é o meu problema.* Então, imediatamente, tive uma atitude negativa, e pensei: *Ah, com certeza, Dave vai me dizer qual é o meu problema quando ele mesmo tem problemas. Ele não precisa me dizer quais são os meus problemas.*

Talvez você consiga se identificar com a apreensão que senti, sabendo que Dave estava para me dizer o que havia de errado comigo. Eu havia clamado a Deus: "Senhor, mostra-me o que está errado!" e Deus estava me oferecendo uma resposta, mas eu não gostei de recebê-la através de um mensageiro. Tudo em que pude pensar foi: *Bem, quem você pensa que é, tentando me dizer o que está errado?* Pedimos para ouvir a voz de Deus, e, no entanto, podemos ficar irados se alguém ouve a Deus a nosso favor. Mas às vezes é assim que Deus fala.

Então eu disse: "O que você acha que está errado comigo?".

Ele respondeu: "Na noite passada, quando estávamos falando sobre...". Nós havíamos ouvido um pregador, e eu havia comentado que achava que ele seguia por muitas direções na sua mensagem sem fechar os pontos principais. Gosto de organizar meus pensamentos e amarrar as pontas soltas quando prego. Eu realmente não falei tanto assim dele, mas no meu coração eu estava comparando o estilo dele com o meu. Eu havia dito simplesmente que ele era meio disperso na sua pregação, e que era difícil acompanhá-lo e entendê-lo.

Dave havia concordado comigo. Agora ele estava dizendo: "Sinto que Deus me disse que você está tendo problemas por causa do que disse sobre aquele pregador".

Fiquei ressentida por ter sabido através de Dave que Deus havia dito a ele que eu havia feito algo errado, quando Dave havia concordado plenamente comigo. É claro que minha primeira resposta foi: "Sim, mas você disse a mesma coisa!".

Dave disse: "Olhe, não estou tentando começar uma discussão com você. Estou lhe dizendo o que creio que Deus me mostrou. Eu não estava pedindo a Deus para me mostrar o que está errado com você. Deus simplesmente me mostrou".

Dave é uma pessoa do tipo objetivo. Você pode pegar o que ele diz ou rejeitá-lo, isso não fará diferença alguma para ele. De certa forma, no que se refere à verdade, ele é como Deus. Ele diz: "Aqui está a verdade; faça o que quiser com ela".

Levei algumas horas, mas finalmente coloquei o assunto diante de Deus e perguntei: "É mesmo por isso que estou tendo estes problemas?".

Quando meu coração se abriu para a verdade, Deus me mostrou Tiago 3:1, que diz que aqueles que são chamados para serem mestres da Palavra serão julgados com maior severidade que os outros. O capítulo trata do fato de que os mestres serão julgados pelos pecados da língua. Como mestre, não posso ter uma mistura de bênção e maldição saindo de meus lábios (ver v. 10). Não posso pregar o evangelho e esperar que a unção esteja sobre minha pregação se faço fofoca de alguém entre os cultos. Se julgo o estilo de outro pregador, estou julgando a unção de Deus sobre ele, e isto sempre afetará a minha própria pregação.

Deus me ensinou esta lição de uma forma que jamais esquecerei. Se acharmos que o talento que nos foi dado por Deus é algo garantido, criticando alguém que faz a mesma coisa, o nosso olhar crítico e julgador se voltará contra nós mesmos até que nos lembremos que aquilo que fazemos bem é apenas pela graça de Deus.

Julgar os outros traz condenação e julgamento sobre nós, porque ao julgarmos aquela pessoa estamos dizendo, "Sou ótimo nisto, mas você tem um problema". Deus retirou o que chamo de "facilidade santa" do que eu fazia até que eu aprendesse esta lição. Deus trabalhou profundamente em mim até que finalmente jejuei e me submeti a um estado de arrependimento.

Quando entendi o que havia feito, chorei e clamei a Deus, porque sabia que Ele havia trabalhado imensamente em minha vida. Deus falou comigo através de Dave. Ele também estava falando comigo através do meu desconforto interior, o que discutirei em um próximo capítulo. Mas o ponto que estou tentando provar aqui é que precisamos estar abertos às mensagens que Deus pode enviar através de pessoas que nos amam e que estão orando por nós. Deus quer que mantenhamos um coração humilde e que estejamos prontos a ouvir Dele seja qual for a forma que Ele escolha para falar.

DEUS FALA CONOSCO ATRAVÉS DE NOSSOS PRÓPRIOS LÁBIOS

Provérbios 16:1 diz: "O coração do homem pode fazer planos, mas a resposta certa [sábia] dos lábios vem do Senhor" (AMP). Muitas vezes Deus fala comigo através de meus próprios lábios. Aprendi isto quando estava em uma situação na qual não sabia o que fazer. Meus próprios pensamentos me deixavam confusa. Deus nos deu a racionalização para entendermos as coisas, mas podemos nos cansar de meditar em algo se não estivermos alinhados com a sabedoria de Deus. Eu não estava chegando a lugar algum naquela circunstância, até que fui dar um passeio com uma amiga.

Eu precisava tomar uma decisão importante que dependia de uma resposta de Deus, mas não estava conseguindo encontrar a direção do Senhor. Minha amiga e eu discutimos um determinado assunto por cerca de uma hora enquanto caminhávamos juntas, desfrutando o ar fresco e a companhia uma da outra. Foi então que aprendi que às vezes a sabedoria vem dos nossos próprios lábios quando começamos a falar com alguém sobre uma situação.

Conversamos sobre aquela situação e discutimos várias possíveis soluções e o resultado de cada uma delas. Falamos sobre como seria bom se tratássemos aquela situação de uma maneira e como seria ruim se a tratássemos de outra forma. De repente, uma resposta específica foi colocada em meu coração.

O que decidi que precisava fazer não era algo que eu naturalmente desejasse. Uma mentalidade teimosa é uma grande inimiga da paz. Alguns de meus problemas deviam-se ao fato de eu querer convencer Deus de que minha situação deveria ser tratada de modo diferente do que Ele estava me direcionando a fazer. Estava sendo difícil discernir a voz de Deus porque minha mente já estava decidida contra o plano Dele.

Precisamos estar dispostos a deixar de lado os nossos próprios desejos, ou podemos perder uma palavra clara da parte de Deus.

> *Precisamos estar dispostos a deixar de lado os nossos próprios desejos.*

A nossa inclinação natural é manipular as coisas para que funcionem do modo que queremos. Alguns dos nossos melhores brinquedos de infância nos ensinaram que peças quadradas não se encaixam em buracos redondos, e precisamos nos lembrar de que os nossos planos nem sempre se encaixam nos caminhos de Deus – não importa o quanto nos tornemos agressivos tentando fazer com que os dois funcionem juntos.

Enquanto minha amiga e eu refletíamos juntas, uma resposta mais sábia que eu sabia que procedia do Senhor saiu de meus lábios, mas ela brotou do meu ser interior. Deus promete que se nós o buscarmos, Ele encherá a nossa boca (ver Salmo 81:10). Jesus promete nos dar palavras e sabedoria às quais nenhum dos nossos adversários poderá resistir ou contradizer (ver Lucas 21:15).

Aprendi a não descartar nada, porque Deus pode falar (e fala) através de uma série de formas – e nem todas elas são algo que consideraríamos especialmente espiritual. Já ouvi Deus falar comigo através de crianças e de adultos que não tinham ideia de que aquilo que estavam dizendo era uma palavra direta do Senhor para mim.

DEUS FALA CONOSCO ATRAVÉS DA CORREÇÃO

Quando precisamos de correção – e há momentos em que todos nós precisamos disso – creio que o primeiro desejo do Senhor é nos corrigir Ele mesmo. O Senhor corrige a quem ama (ver Hebreus 12:6). A correção ou a repreensão de Deus não é algo mau; é sempre e definitivamente apenas para o nosso bem. Mas o fato de a correção contribuir para o nosso bem não significa que seja sempre agradável ou que seja algo que gostemos de passar naquele momento:

> Nenhuma disciplina parece ser motivo de alegria no momento, mas sim de tristeza. Mais tarde, porém, produz fruto de justiça e paz para aqueles que por ela foram exercitados (Hebreus 12:11, AMP).

No exemplo do pregador a quem julguei, Deus usou Dave para trazer a mim uma palavra de correção e uma palavra de revelação. Eu precisava de revelação para saber por que me sentia tão infeliz, mas para ser sincera, não estava esperando uma correção acerca do meu comportamento.

A correção provavelmente é uma das coisas mais difíceis para a maioria de nós recebermos, principalmente quando vem através de outra pessoa. Mesmo que tenhamos problemas, não queremos que os outros saibam que os temos. Creio que Deus prefere nos corrigir em particular, mas se não aceitarmos a Sua correção, ou se não soubermos como permitir que Ele nos corrija em particular, Ele nos corrigirá publicamente, usando a fonte que precisar usar. No caso de Balaão, Deus usou a mula dele.

Recentemente, estávamos ministrando em um país estrangeiro, e a comida era muito desagradável para nós. Não estávamos acostumados ao tipo de comida servida nem aos temperos usados no seu preparo. Eu estava em um restaurante onde estava tentando transmitir ao garçom o que gostaria de comer. Ele não falava inglês muito bem, e eu não falava a língua dele. Várias pessoas tentaram ajudar, mas como se constatou mais tarde, quatro pessoas diferentes pediram comida para mim.

Fiquei frustrada, e a minha frustração estava evidente pela minha atitude e pelo meu tom de voz. Eu estava me comportando mal diante de pessoas que sabiam que eu havia ido para ministrar, e, naturalmente, meu exemplo para elas era importante. Eu já sabia que meu comportamento não estava sendo muito bom, mas o Senhor quis que eu "realmente soubesse" disso. Então, quando voltamos para o quarto, Dave disse: "Você precisa realmente tomar cuidado com a maneira como fala com as pessoas em situações como essa do almoço; o seu exemplo não foi muito bom".

Embora soubesse que ele estava certo, e também soubesse que Deus estava usando-o para me convencer disso e garantir que eu percebesse totalmente o quanto aquilo era importante, minha tendência foi dizer a Dave: "Bem, já vi você fazer o mesmo". Se eu tivesse feito isso, não teria recebido a palavra, e Deus teria simplesmente tentado me atingir de alguma outra forma — provavelmente de um modo que teria sido muito mais constrangedor ou doloroso.

Geralmente, o nosso primeiro impulso ao sermos corrigidos por alguém é apontar o erro dessa pessoa. Satanás nos tenta a fazer isso a fim de desviarmos a conversa da questão real. Ser corrigido por Deus através de pessoas investidas de autoridade, como o governo, os patrões, os pais, e os professores, é algo que cada um de nós enfrentará ao longo da vida. Podemos nem sempre gostar da fonte que Deus escolher usar, mas é sábio aceitar a correção a fim de evitarmos "ter de dar mais uma volta ao redor da montanha" (ver Deuteronômio 2:3).

Muitos pensam que ouvir a voz de Deus sempre será algo extremamente espiritual, mas podemos ver a partir destes exemplos que Deus usa coisas naturais para Se revelar a nós, assim como coisas espirituais. Comece a ouvir e a observar Deus falar ou se mostrar fortemente em toda parte (ver 2 Crônicas 16:9). Você nunca sabe quando — ou como — Ele pode aparecer!

QUESTÕES PARA REFLETIR

1. Como a natureza testifica sobre a verdade de Deus? Dê alguns exemplos pessoais.

2. Que partes da criação você mais aprecia? Que partes da criação falam mais a você sobre a maravilha e a existência de Deus?

3. Você sabe qual é o chamado de Deus para a sua vida? Se não, o que você gosta de fazer? Quais são as suas habilidades e desejos naturais? Você acha que tem prazer em realizar essas coisas? Este poderia ser o seu chamado?

4. Se você conhece o seu chamado, ele foi confirmado? Como?

5. Você procura a opinião dos homens acima da opinião de Deus? Como você pode se disciplinar para buscar a Deus em primeiro lugar?

6. Você já passou por uma situação onde sentiu que o Senhor estava lhe dizendo algo, e depois aquilo foi confirmado por outra pessoa? Em caso positivo, descreva-o. Como isto o ajudou?

7. O que você acha que Deus o está conduzindo a fazer em resposta a este capítulo?

Deus Fala Através da Paz Interior

Quando Deus fala, Ele nos dá um profundo sentimento de paz interior para confirmar que a mensagem veio realmente Dele. Mesmo que Ele fale para nos repreender, a verdade deixa uma sensação tranquilizadora de consolo em nossa alma. Jesus disse: "Deixo-lhes a paz; a minha paz lhes dou. Não a dou como o mundo a dá. Não se perturbe o seu coração, nem tenham medo" (João 14:27).

Quando o enganador fala conosco, ele não pode nos dar paz. Quando tentamos resolver as coisas com o nosso próprio raciocínio, não podemos ter paz, porque "a mente de carne [que é o sentimento e o raciocínio sem o Espírito Santo] é morte [morte que compreende todas as misérias decorrentes do pecado, tanto aqui quanto daqui para a frente]. Mas a mente o Espírito [Santo] é vida e paz [na alma, agora e para sempre]" (Romanos 8:6, AMP).

Coloque a sua decisão na balança em paz; não aja se a paz não conseguir manter o seu peso diante da direção que você ouviu. Você não precisa explicar aos outros por que não sente paz a respeito de alguma coisa; muitas vezes você mesmo não saberá o motivo. Você pode apenas dizer: "Não é sábio que eu faça isto, porque não sinto paz a respeito".

Mesmo quando acreditar que Deus falou com você, você deve esperar até que a paz encha a sua alma para fazer o que Ele lhe instruiu a fazer. Assim, você terá certeza de que é o tempo certo – além disso, a paz é a verdadeira confirmação de que você está ouvindo a Deus. Se você esperar pela paz, poderá ser obediente com fé. Busque a paz; há poder em ter paz. Quando souber que Deus o instruiu, você deve fazer o possível para manter a sua paz e não ter medo.

Administro minha vida pela paz. Se estou fazendo compras, não compro algo se não sinto paz. Se entro em uma conversa e começo a perder a paz, fico em silêncio. Aprendi que é importante manter a paz para manter a força.

Nunca devemos agir sem ter paz. Pode-se dizer que a paz é uma "confirmação interna" de que a ação que está sendo empreendida é aprovada por Deus: "Que a paz de Cristo seja o juiz em seu coração, visto que vocês foram chamados para viver em paz, como membros de um só corpo. E sejam agradecidos" (Colossenses 3:15).

Deus nos dirige através da paz. A Bíblia diz que a paz é como um árbitro que decide o que é "ponto" ou o que está "fora". Não sente paz? Está "fora". Devemos deixar que a harmonia interior em nossa mente e em nossa alma governe e atue continuamente como árbitro em nossos corações, decidindo e determinando todas as questões que surgirem em nossa mente. Fomos chamados para viver em paz como membros de um corpo em Cristo.

Não devemos procurar métodos não realistas de comunicação com Deus.

Precisamos aprender a obedecer ao nosso próprio senso de certo e errado e resistir a fazer as coisas com as quais a nossa consciência interior se sente desconfortável. Deus dá ou retira a paz de nossa consciência para que saibamos se estamos no caminho certo.

Não devemos procurar métodos não realistas de comunicação com Deus. A maioria dos cristãos nunca teve um encontro face a face com Jesus como Paulo teve quando estava a caminho de Damasco. Até mesmo Paulo não tinha sempre a experiência de ver os céus abertos, os anjos aparecerem, ou as trombetas ressoando todas as vezes que Deus falava com ele. Podemos ser guiados pelo Espírito através da paz interior a cada dia de nossas vidas.

Cuidado com a falsa paz. Quando temos o forte desejo de fazer alguma coisa, ele pode gerar uma falsa paz que na verdade vem apenas da nossa empolgação. À medida que o tempo passa, esta falsa paz desaparece, e a verdadeira vontade de Deus para nossas vidas vem à tona. Por este motivo, nunca devemos agir muito depressa no que se refere a decisões importantes. Um pouco de espera é sempre sábio e prudente. A Bíblia nos diz para não sermos precipitados no que dizemos ou apressados nos votos que fazemos (ver Eclesiastes 5:2-5). Eis um exemplo que pode ajudá-lo a entender melhor este ponto.

Alguém a quem Dave e eu amamos muito estava com uma necessidade, e queríamos suprir essa necessidade. Fazer isto teria dado grande alegria a essa pessoa. Na verdade, teria dado a essa pessoa algo que ela desejava há muito tempo. Fiquei empolgada em atender à necessidade da pessoa e falei com Dave, que concordou que deveríamos ajudar. Seguimos em frente com o nosso plano, mas quanto mais íamos em frente com aquilo, mais eu perdia a minha paz. Isto gerou um problema, porque eu sentia que havíamos nos comprometido em ajudar – havíamos dado a nossa palavra, e eu não queria procurar a pessoa e dizer que havia mudado de ideia. Eu não me importava em dizer que havia cometido um erro, mas não queria decepcionar a pessoa que àquela altura estava muito entusiasmada.

Algumas semanas se passaram, e eu simplesmente continuei orando: "Deus, se o que estamos fazendo não está certo, por favor, faça com que tudo caia por terra. Faça com que alguma coisa aconteça para que saibamos com certeza o que devemos fazer".

Fui ficando cada vez mais inquieta interiormente, e finalmente procurei a pessoa e disse: "Alguma coisa está errada com o nosso plano; não sinto absolutamente nenhuma paz a respeito". Para meu grande alívio, a pessoa sentia o mesmo. Ambas havíamos perdido a nossa paz, e nenhuma das duas queria dizer isto à outra.

Respeito imensamente o princípio de "seguir a paz". Ele me manteve longe de problemas muitas vezes. Se eu tivesse esperado um pouco depois de ter a "brilhante ideia" de ajudar aquela pessoa, tenho certeza de que teria sentido a falta de paz; mas no meu zelo e entusiasmo de ser uma bênção, havia interpretado o que sentia como sendo paz, quando na verdade não era. A falsa paz pode ser perigosa, portanto, seja sábio nestas áreas. Não tome decisões importantes nem assuma compromissos sérios sem fazer uma "verificação interior" para ver se a verdadeira paz habita dentro de você.

DEUS FALA ATRAVÉS DE APELOS PERSISTENTES

O apóstolo Paulo disse que a sua consciência interior era iluminada e movida pelo Espírito Santo que testificava dentro dele (ver Romanos 9:1). Podemos saber se estamos fazendo o que é certo porque a nossa consciência sentirá a evidência da verdade. Minha consciência se torna mais sensível à medida que cresço no Senhor e à medida que Ele me dá mais responsabilidades.

Se deixo cair um pedaço de papel na rua e continuo andando, minha consciência me convence, então aprendi a me virar rapidamente e pegar o que deixei cair. Isso pode parecer radical, mas Deus está muito envolvido com a minha consciência. Ser fiel nas pequenas coisas é importante para Deus. De acordo com Cantares 2:15, são as "raposinhas" que destroem as vinhas. Quando estamos dispostos a ser fiéis e obedientes nas pequenas coisas, então Deus pode confiar que seremos fiéis em coisas muito maiores (ver Mateus 25:14-23). Também creio que ser fiel nas pequenas coisas que Deus requer nos dá fé para as coisas maiores porque a nossa consciência fica inteiramente limpa. A obediência à nossa consciência interior traz o poder de Deus para a nossa vida.

Se não nos sentimos bem com relação a alguma coisa, como, por exemplo, onde jogamos o nosso lixo, não devemos simplesmente seguir em frente e continuar fazendo o que é errado. Dar a desculpa de que todo mundo faz o que estamos convencidos a não fazer não funciona. Muitas pessoas do povo de Deus não têm poder porque estão continuamente fazendo coisas que a sua consciência lhes diz para não fazerem. Quando não damos ouvidos à nossa consciência, perdemos a nossa paz. A Palavra nos ensina para sermos fiéis às nossas convicções; se fazemos algo com o qual nos sentimos desconfortáveis, permanecemos condenados porque não estamos agindo por fé (ver Romanos 14:23).

Às vezes Deus até me impulsiona a pegar o lixo de alguém. Não ouço a voz audível do Espírito Santo, mas sinto o apelo interior de deixar um lugar melhor do que o encontrei. O Senhor usa a minha obediência para me ensinar mais sobre o Seu caráter. Ele me diz: "Quando você faz sujeira, gostaria que alguém limpasse a sua sujeira para você? Tudo que você faz na vida é um ato de plantar sementes que voltarão para você. Você colherá o *que quer que* plante. Se você deixar sujeira para alguém limpar, um dia alguém deixará sujeira para você limpar".

Frequentemente, Dave e eu somos impelidos pelo Senhor a fazer alguma coisa por alguém que demonstrou uma necessidade válida e um coração reto diante do Senhor. Conhecemos um homem que precisava de uma bênção financeira. Ele havia trabalhado arduamente, e percebemos a sua fidelidade por um longo período. Mas Deus não nos havia impelido a contribuirmos com ele de nenhuma maneira específica.

Então, um dia, de repente, senti um impulso de fazer alguma coisa por ele. Deixei aquele sentimento descansar e não agi com relação àquilo, mas alguns dias mais tarde senti o impulso interior de dar a ele um presente em dinheiro. Por alguns dias, aquele impulso se tornou cada vez mais forte, até que finalmente o mencionei a Dave. Estávamos de acordo que o Senhor estava nos direcionando a fazer alguma coisa extra para ajudar aquele homem com a sua dívida para que ele pudesse prosseguir em Deus.

Se Deus está nos direcionando através de um apelo interior, esse impulso se tornará mais forte até que seja obedecido. O fruto da nossa obediência provará que o apelo procedia realmente de Deus. Se esperarmos por tempo demais para respondermos a esse apelo, Deus poderá ter de passar para outra pessoa para que a Sua vontade se realize. Portanto, vemos que até para esperarmos precisamos de equilíbrio. Não aja depressa demais a ponto de nem saber se sente paz, e não espere tempo demais a ponto de Deus precisar escolher outra pessoa para usar.

DEUS FALA ATRAVÉS DOS DESEJOS DO NOSSO CORAÇÃO

Deus fala conosco através dos desejos santos do nosso coração. Não estou dizendo que tudo que está na nossa "lista de desejos" procede de Deus, mas quando ansiamos em nosso coração que as obras do Espírito operem em nossa vida, sabemos que Deus está nos direcionando no Seu plano para nós. O Salmo 37:4 diz: "Agrada-te do Senhor, e Ele satisfará os desejos do teu coração". Isto funciona de duas maneiras: sim, Ele nos concede o que ansiamos, mas Ele também coloca um anseio em nosso coração pelas coisas que Ele quer que tenhamos.

Precisamos pedir a Deus que nos dê desejos santificados ou santos. A Palavra diz que devemos buscar ansiosamente e procurar adquirir o amor, e desejar sinceramente e cultivar os dons espirituais (ver 1 Coríntios 14:1). Devemos ansiar ter desejos santificados – e não desejos carnais!

Os desejos da carne são opostos aos desejos do Espírito, e os desejos do Espírito são opostos à natureza humana sem Deus (ver Gálatas 5:17). Deus coloca um desejo em nós por algo que trará a Sua justiça, paz e alegria às situações em nossa vida (ver Romanos 14:17).

Portanto, vemos que até para esperar precisamos de equilíbrio.

Quando Deus nos direciona a fazer algo, há um zelo crescente em nós por ver aquilo concretizado. Pensar em fazer aquilo nos motiva. É extremamente diferente dos desejos da carne, porque o anseio pelos prazeres egoístas nos deixa atormentados. Mas o impulso interior pelos desejos de Deus nos alegra com entusiasmo.

Se o desejo que temos realmente procede de Deus e não é simplesmente um desejo carnal, também temos uma profunda sensação de paz. Sei que Deus muitas vezes nos guia pelo desejo, e, no entanto, hesitei em acrescentar esta parte sobre desejos no livro, porque não quero que as pessoas pensem que tudo que desejam é algo que devam ter.

Há desejos do Espírito, e há desejos carnais – desejos certos e desejos errados. Podemos desejar alguma coisa que não é necessariamente errada em si, e, no entanto, ela pode ser errada para nós.

Perguntei a Deus em várias ocasiões o que Ele queria que eu fizesse com relação a uma determinada coisa, e Ele respondeu em meu coração "Faça o que quiser fazer". Na primeira vez em que o ouvi dizer isto, quase repreendi como se viesse de Satanás. Eu tinha medo de acreditar que Deus me daria esse tipo de liberdade, mas agora sei que Ele dá cada vez mais liberdade à medida que as pessoas crescem espiritualmente rumo à maturidade.

Tudo que eu precisei fazer foi pensar em meus próprios filhos. Quando eles eram jovens e inexperientes, eu tomava todas as decisões por eles. À medida que eles ficaram mais velhos e mais maduros, fui deixando que eles fizessem mais as coisas que queriam fazer. Eles haviam estado perto de Dave e de mim por muito tempo e estavam começando a conhecer o nosso coração. Agora, todos os nossos quatro filhos estão crescidos, e na maioria do tempo eles fazem o que querem e raramente nos ofendem porque conhecem o nosso coração e agem de acordo com esse conhecimento.

Depois que andamos com Deus por alguns anos, começamos a conhecer o Seu coração, o Seu caráter, e os Seus caminhos. Se somos comprometidos em segui-los, Ele pode nos dar mais liberdade porque começamos a agir como se "fossemos um com Ele". O nosso espírito fica cheio com o Seu Espírito, e os nossos desejos começam a ser fundir com os Dele. Em João 10:30, Jesus disse: "Eu e o Pai somos Um". Em João 8:28, Ele disse: "... nada faço de mim mesmo, mas falo exatamente o que o Pai me ensinou".

Em 1 Crônicas 17:2 vemos que o profeta Natã disse ao rei Davi para fazer tudo que estava em seu coração, porque Deus era com ele. Na época em que ele disse isso, Davi estava fazendo os preparativos para construir um tabernáculo para Deus habitar. No versículo 4, o profeta entregou uma palavra direta de Deus dizendo que Davi *não* construiria o tabernáculo, porque Deus tinha atribuído a tarefa a outro.

O que sempre me interessou com relação a essa situação específica é que parece que o método "normal" de operação entre Davi e Deus era que Davi fizesse o que estava no seu coração, e Deus seria com ele. Então, obviamente, nesta situação, vemos que Deus tinha outro plano, e assim Ele interrompeu o plano de Davi de construir uma casa para Ele. Ele até disse a Davi mais tarde que era bom que ele tivesse isto em seu coração, mas que não era a vontade Dele que Davi o construísse. Ele havia escolhido Salomão, o filho de Davi, para fazê-lo.

Quando estava aprendendo a ouvir a voz de Deus e desejando de todo o coração ser guiada pelo Espírito, estes versículos realmente me ajudaram a entender que podemos agir com um certo grau de liberdade seguindo os nossos desejos *santos,* desde que estejamos prontos a seguir imediatamente por outra direção caso Deus nos mostre que precisamos fazer isso. Não é errado ter um plano e segui-lo, desde que estejamos dispostos a abrir mão do nosso plano quando Deus não o aprovar.

Em João 15:7, Jesus disse: "Se vocês permanecerem em mim, e as minhas palavras permanecerem em vocês, pedirão o que quiserem, e lhes será concedido". Como isto pode ser possível a não ser que haja realmente uma fusão dos nossos desejos com os desejos de Deus à medida que amadurecemos nele?

O objetivo de todo verdadeiro crente é ser um com Deus. Isto acontece espiritualmente quando nascemos de novo, e ocorre na mente, na vontade e nas emoções à medida que crescemos e amadurecemos espiritualmente. Em Efésios 4:15, o apóstolo Paulo nos incentiva: "Cresçamos em tudo naquele que é a cabeça". Ao fazermos isto, nossos desejos se tornam os desejos Dele, e estaremos seguros ao segui-los.

O chamado que Dave e eu temos para o nosso ministério é um bom exemplo de como Deus nos direcionou através dos desejos do nosso coração. Não podíamos viajar nos finais de semana, ficar em hotéis, e nos afastar de nossa família se o nosso desejo não fosse dado por Deus. Deus colocou um desejo tão forte em nós que somos motivados a fazer qualquer sacrifício necessário e a vencer qualquer oposição que possa se levantar contra nós para realizar a vontade de Deus para nossa vida.

> *O objetivo de todo verdadeiro crente é ser um com Deus.*

Às vezes, simples desejos vêm até nós da parte de Deus, porque Ele gosta de nos abençoar; Ele às vezes coloca em nós o desejo pelas coisas que Ele quer nos dar. A Sua Palavra diz: "Tudo o que vocês pedirem em oração, creiam que já o receberam, e assim lhes sucederá" (Marcos 11:24).

Há vários anos Deus estava tratando comigo para que eu fosse uma pessoa doce e gentil. Eu havia passado por um período muito difícil, e o Senhor me disse: "Agora, seja simplesmente uma doçura de pessoa; seja simplesmente uma doçura".

Mais tarde, em uma reunião, uma senhora veio até mim e me deu um bracelete, dizendo: "Este é o meu bracelete favorito, mas creio que Deus me disse para dá-lo a você". Ele tinha uma palavra escrita em uma língua estrangeira. Perguntei: "O que esta palavra significa?".

Ela disse: "Bem, comprei este bracelete no Havaí, e esta é a palavra havaiana para 'doçura'". Então, eu soube que Deus estava me dando aquele bracelete como uma confirmação de que estava tratando com a minha atitude.

Usei aquele bracelete por muitos anos. Ele era um pouco pequeno para mim, e quando eu o colocava, era difícil e até inconveniente retirá-lo. Eu realmente não tinha liberação de Deus para parar de usá-lo. Às vezes eu queria outros braceletes, mas simplesmente não sentia paz para comprar outra coisa quando sabia que Deus havia me dado aquele bracelete especificamente como um lembrete da Sua direção para a minha vida.

Quando a nossa parte carnal quer algo, mas o nosso lado espiritual se opõe, precisamos esperar até termos paz. Quando Deus está nos impulsionando a fazer algo, há um acordo entre o nosso desejo carnal e espiritual. Nunca devemos anular os nossos desejos espirituais por algo que somente a nossa carne está exigindo.

Depois de alguns anos, ocasionalmente comentava com Dave: "Gostaria de comprar outro bracelete".

Ele sempre dizia algo do tipo: "Não, gosto deste bracelete; fica lindo em você". Ou: "Você não precisa de outro; você não encontraria um mais bonito do que este".

Então, um dia, eu estava fazendo compras, e um desejo de ter um bracelete novo cresceu dentro de mim. Eu não estava pensando em joias, e aquele desejo foi tão repentino que eu senti que vinha do Senhor. Eu disse: "Bem, Senhor, se este desejo realmente vem de Ti, vou orar a respeito". Os desejos espirituais nos motivarão a orar. Eu disse: "Deus, não quero nada a não ser o que Tu queres para mim.

Não preciso de um bracelete novo para ser feliz, mas se Tu queres que eu tenha outros braceletes, então peço que Tu os dês a mim, em nome de Jesus". Então fui cuidar do que tinha de fazer.

Voltei para casa daquela viagem, e alguns dias depois minha amiga íntima Roxane e eu estávamos passando algum tempo juntas. Ela me disse: "Tenho um presente para você; é algo que senti que Deus me disse para lhe dar".

Abri o presente e encontrei um bracelete novo.

Ela continuou: "Provavelmente não faz sentido para você o motivo pelo qual eu compraria um bracelete. Sei como você se sente a respeito do bracelete que usa sempre. Mas realmente creio que Deus falou comigo para comprar isto para você. Então eu o encomendei há algum tempo, e ele acaba de chegar".

É interessante que Deus falou com Roxane, dizendo a ela para comprar o bracelete, e enquanto ele estava a caminho, Ele colocou o desejo em meu coração de recebê-lo. Não apreciaríamos receber alguma coisa se não a desejássemos. Muitas vezes, Deus colocou o desejo em meu coração por alguma coisa que Ele queria me dar.

A Bíblia diz que Deus coloca em nós o desejo tanto de querer quanto de realizar, segundo a Sua boa vontade (ver Filipenses 2:13). Deus coloca desejos em nós para nos conduzir pelo caminho que Ele quer que sigamos. Se desejamos ler a Palavra, então Deus está nos *convidando* a ler a Palavra. Se desejamos orar quando estamos vendo televisão, então Deus está nos falando sobre a *necessidade* de orar.

Como lemos em João 15, sabemos que se permanecermos em Cristo, se continuarmos o nosso relacionamento com o Senhor e habitarmos nele por um certo tempo, a Sua Palavra permanecerá em nós. Então podemos pedir o que quisermos, e Ele promete nos dar.

Permanecer em Cristo é andar com Ele, viver com Ele, se tornar como Ele, e alimentar os desejos que Ele coloca em nosso coração, porque essa é a vontade Dele para nós. Ele coloca desejos em nosso coração para que possamos orar e pedir as coisas que Ele quer que tenhamos. Sem oração, Deus não tem um veículo através do qual possa operar.

Se você sente que Deus colocou certos desejos no seu coração, é importante orar e pedir essas coisas que você deseja, Se você não tem certeza se os seus desejos procedem Dele, diga: "Senhor, creio que Tu colocaste este desejo em meu coração, então eu peço isto a Ti. Mas posso ser feliz sem isto, porque sou feliz contigo. Agora cabe a Ti fazer o que quiseres fazer".

Acima de tudo, lembre-se que devemos ser guiados pela paz. Não importa o quanto desejamos alguma coisa, se não sentimos paz no fundo de nosso coração, significa que aquilo não é o certo para nós.

DEUS FALA ATRAVÉS DE UMA VOZ QUE CONHECEMOS E NA QUAL CONFIAMOS

No Antigo Testamento, quando Deus começou a chamar Samuel, ele pensou que fosse seu mestre, Eli, que o estava chamando. Deus chamou por duas vezes, e por duas vezes Samuel foi até Eli perguntando o que ele queria.

Eli disse a Samuel duas vezes: "Não estou chamando você". Então, duas vezes Samuel voltou ao seu quarto. Ele ouviu a voz novamente. "Estou aqui, Eli, o que o senhor quer?" perguntou ele. Finalmente Eli disse: "Deve ser Deus lhe chamando" (ver 1 Samuel 3:1-10).

Deus falou com Samuel com uma voz que lhe era familiar, para que ele não se assustasse. Deus quer que ouçamos Sua voz, então Ele fala conosco através de uma voz que podemos reconhecer. Às vezes ela pode soar como a nossa própria voz, às vezes pode soar como a voz de alguém que conhecemos. Mas o ponto é que quando Deus fala, a Sua voz sempre nos trará paz.

As pessoas que ouvem muito as minhas fitas de ensino me dizem que frequentemente, quando estão para tomar uma decisão ou para fazer algo sobre o que não têm certeza, elas me ouvem dizer algo que lhes dá a direção ou a correção. O que elas realmente estão ouvindo é Deus falando através da

Acima de tudo, lembre-se que devemos ser guiados pela paz.

Sua Palavra, mas elas ouviram a minha voz falando com elas por tanto tempo, que a direção chega até elas como se fosse eu falando. Samuel estava acostumado a ouvir Eli; portanto, quando Deus o chamou, a voz soou como a voz de Eli.

Uma mulher me disse em uma reunião: "Eu estava em uma situação com meu marido que ficava cada vez mais difícil. Deus falou comigo, me dizendo o que fazer, lembrando-me de algo que você disse em uma de suas fitas. De repente ouvi a sua voz em uma das fitas dizendo exatamente o que eu precisava me lembrar. Deus me fez lembrar isso como um 'conselho na hora certa'". Embora tenha sido a minha voz que estava gravada em seu banco de memórias, o que ela ouviu foi o Espírito Santo que trouxe aquela memória de volta quando ela precisou.

Quando Deus fala conosco, não soa como uma voz alta trovejando do céu. Geralmente Ele fala conosco através da nossa voz interior. Podemos achar que estamos falando com nós mesmos, mas as palavras de Deus em nosso espírito são sempre cheias de uma sabedoria que jamais poderíamos ter por nós mesmos.

Algumas pessoas me dizem: "Você está sempre dizendo: 'Deus disse'. É como se estivesse conversando com Deus o tempo todo". Deus está tentando falar com elas o tempo todo também. Elas o ouviriam se simplesmente pedissem a Ele para falar com elas, e depois prestassem atenção em seu homem interior ou em sua consciência, e esperassem Deus falar.

Há muitas maneiras diferentes pelas quais Deus nos fala. Muitas pessoas pensam que não ouvem a voz de Deus porque estão esperando alguma manifestação sobrenatural que simplesmente não vai acontecer. Na maior parte do tempo, Deus fala através de uma voz mansa e suave dentro de nós que soa muito naturalmente. Deus disse que nós somos as Suas ovelhas e que Ele é o nosso Pastor, e que as Suas ovelhas conhecem a Sua voz (ver João 10:1-5).

Ele pode falar conosco através da natureza, como fez comigo alguns dias depois que recebi o batismo no Espírito Santo. Eu estava dirigindo por um campo cheio de ervas daninhas, e no meio daquelas ervas daninhas havia dois ou três trechos cheios de belas flores. Recebi uma mensagem completa de Deus sobre como as flores podem crescer em meio às ervas daninhas, e como existem coisas boas em nossas vidas até no meio das dificuldades e provações.

Em todos os anos em que ouvi a voz de Deus, tive uma única visão aberta, e talvez quatro ou cinco sonhos proféticos. Não estou fazendo pouco caso do fato de que Deus fala com algumas pessoas através de muitos sonhos e visões, mas na maior parte do tempo Ele simplesmente enche meus pensamentos com os Seus pensamentos e os confirma com a Sua Palavra escrita. Ele me dá paz, e eu tento seguir a sabedoria.

Precisamos discernir a voz de Deus cuidadosamente, mas não precisamos super-espiritualizar o fato de ouvirmos a voz de Deus. Não é tão difícil quanto alguns podem pensar. Se Deus tem algo a dizer, Ele sabe como se fazer entender. É nossa responsabilidade apenas ouvir com expectativa e avaliar o que ouvimos à luz da paz interior.

Deus tem algo a dizer sobre quase tudo que acontece conosco, todos os dias. É uma vergonha as pessoas se sentirem solitárias quando Deus está esperando ansiosamente para falar com elas e para ter comunhão com elas a qualquer momento em que elas estejam dispostas a ouvir.

QUESTÕES PARA REFLETIR

1. Você já teve uma experiência de paz que acompanhava uma direção de Deus? Descreva-a.

2. Você utiliza a paz como uma bússola para ter confirmação interna com relação tanto aos detalhes da sua vida diária como às decisões maiores que precisa tomar? Como? E em caso negativo, por quê?

3. Existe alguma coisa que Deus já lhe impulsionou a fazer através de um apelo interior? O que foi? Você percebeu que esse apelo interno ficou mais forte com o passar do tempo?

4. Você já teve a experiência de sentir que Deus estava colocando um desejo em seu coração por alguma coisa? Em caso positivo, você orou a respeito? E depois, você recebeu? De que modo isso edificou sua vida?

5. Como você determina se um desejo procede do Espírito ou da sua carne? Você age com relação a um desejo antes de saber claramente de onde ele vem?

6. De que formas você ou outras pessoas que você conhece ouviram a voz de Deus?

7. O que você acha que Deus o está conduzindo a fazer em resposta a este capítulo?

Deus Fala Através da Convicção

O Espírito Santo fala à nossa consciência para nos trazer convicção do pecado e nos convencer da justiça (ver João 16:7-11). A Sua convicção tem a intenção de nos convencer a nos arrependermos, o que significa voltarmos e seguirmos pela direção certa em vez de continuar na direção errada em que estamos indo no momento.

Convicção é totalmente diferente de condenação. Levei muito tempo para aprender isto, e o resultado era que, de forma errada, eu me sentia condenada todas as vezes que o Espírito Santo me convencia de algo em minha vida que não era da vontade de Deus. A convicção tem a intenção de nós tirar de uma situação, para nos ajudar a avançar e subir mais alto dentro da vontade e do plano de Deus para as nossas vidas. A condenação, por outro lado, nos esmaga e nos coloca debaixo de um fardo de culpa.

É saudável e normal se sentir culpado quando, a princípio, somos convencidos do pecado; mas continuar a manter o sentimento de culpa depois que nos arrependemos do pecado não é saudável, nem é a vontade de Deus. A convicção do Senhor nunca nos enche de vergonha e condenação. A vergonha nos enche de um sentimento doloroso de desonra e de lamentação humilhante, geralmente por algo que não poderíamos impedir. Frequentemente, as vítimas de abuso sentem vergonha mesmo quando não fizeram nada para provocar a crueldade que ocorreu com elas. A vergonha é um vício que o diabo usa para nos reprimir e condenar:

Pois Deus enviou o seu Filho ao mundo, não para condenar o mundo, mas para que este fosse salvo por meio dele. Quem nele crê não é condenado, mas quem não crê já está condenado, por não crer no nome do Filho Unigênito de Deus (João 3:17-18).

A mulher apanhada em adultério recebeu a oportunidade de descansar na segurança do nome de Cristo. Pela lei, ela era culpada por quebrar um mandamento de Deus, e os fariseus queriam apedrejá-la. Jesus demonstrou à multidão que Ele não veio a este mundo para enviar os pecadores para a morte, mas para libertá-los do pecado para que eles pudessem viver a vida abundante. Jesus mostrou à multidão que eles todos eram culpados por quebrarem a lei de alguma maneira. Ele convidou os acusadores da mulher para prosseguirem com o apedrejamento, mas somente se eles próprios não tivessem qualquer pecado. A Palavra diz:

> Mas, ouvindo eles esta resposta, e acusados pela própria consciência, foram-se retirando um por um, a começar pelos mais velhos até aos últimos, ficando só Jesus e a mulher no meio onde estava. Erguendo-se Jesus e não vendo a ninguém mais além da mulher, perguntou-lhe: Mulher, onde estão aqueles teus acusadores? Ninguém te condenou? Respondeu ela: Ninguém, Senhor! Então lhe disse Jesus: Nem Eu tampouco te condeno, vai e não peques mais (João 8:9-11, ARA).

Jesus provou que a condenação só leva à morte, mas a convicção nos liberta para uma nova vida livre do pecado. Os acusadores foram convencidos dos seus próprios pecados em suas consciências até que, um a um, aprenderam a não julgar a mulher que foi apanhada quebrando a lei.

Se sabemos que Deus não nos condena, podemos orar sem medo:

Senhor,
Mostra-me o meu pecado. Convence-me daquilo que estou fazendo que quebra a Tua lei de amar aos outros. Convence-me de quando falo asperamente com

as pessoas. Mantém minha consciência receptível a ouvir a Tua voz. Dá-me poder para ser livre do pecado. Amém.

A nossa consciência nos é dada por Deus para nos manter fora dos problemas. O Espírito Santo trabalha para iluminar a nossa percepção do que estamos fazendo e que leva à morte, e do que precisamos fazer para desfrutar a vida abundante. Se ignorarmos a nossa consciência por muito tempo, deixaremos de sentir a convicção de Deus quando formos culpados de algum pecado. Mas se mantivermos a nossa consciência sensível para que nosso coração seja sensível à Sua correção, o Espírito Santo julgará amorosamente nossas ações e nos convencerá dos atos impiedosos que cometemos. Ele nos tocará quando dissermos palavras ásperas que não demonstram a Sua verdade. Deus quer trabalhar em cada área de nossa vida, até que sejamos motivados por um coração manso que reflete a Sua presença.

As pessoas ficam endurecidas quando ignoram o seu senso natural de certo e errado. Até as pessoas salvas podem ter um coração duro. Quanto mais duro é o coração, mais difícil é para as pessoas obedecer a Deus pronta e rapidamente. Elas reprimiram seus sentimentos com tanta frequência que ficam insensíveis quando sua consciência as convence de alguma coisa.

A convicção nos liberta para uma nova vida livre do pecado.

Quando as pessoas nos ferem, justificamos os nossos próprios pensamentos insensíveis com relação a elas e, como defesa por não quer ser feridos novamente, tratamos as pessoas asperamente. As pessoas que estão sofrendo ferem outras pessoas. Porém, toda atitude impiedosa continua sendo pecado aos olhos de Deus. O círculo da dor precisa ser quebrado - foi isso que Jesus veio fazer por nós.

Por muito tempo, fui uma mulher de coração duro, nascida de novo e batizada no Espírito Santo. Amo a Deus, mas meu coração era endurecido por causa do abuso que havia acontecido comigo. Isso acabou tornando minha consciência entorpecida. Tive de deixar o Espírito Santo trabalhar *comigo* e *em mim* para quebrar aquela dureza e arrancá-la do meu interior (ver Salmo 51:10).

A consciência é uma função do nosso espírito que trabalha como um monitor interno sobre o nosso comportamento. Ela funciona para permitir que saibamos quando algo está certo e quando algo está errado; consequentemente, ela é imensamente afetada pelo conhecimento dos padrões e diretrizes que Deus estabeleceu para nós na Sua Palavra.

Crescer no conhecimento do que Deus disse ao Seu povo desperta a nossa consciência de seu estado de coma. As pessoas não salvas podem saber quando estão agindo mal, mas elas não sentem a convicção como aqueles de nós que são nascidos de novo e cheios do Espírito Santo, e que temos comunhão com Deus diariamente.

Quanto mais tempo passamos na presença de Deus, mais sensíveis nos tornamos aos nossos próprios atos que não refletem o Seu coração. Quando nos comportamos de uma forma insensível, rapidamente sentimos que saímos da linha com relação ao modo como Jesus teria lidado com a situação.

Podemos ter vidas maravilhosas se enchermos nossas mentes com a Palavra de Deus e depois simplesmente obedecermos à nossa consciência. Deus disse a respeito do povo de Israel:

> Darei a eles um coração não dividido e porei um novo espírito dentro deles; retirarei deles o coração de pedra e lhes darei um coração de carne. Então agirão segundo os meus decretos e serão cuidadosos em obedecer às minhas leis. Eles serão o meu povo, e eu serei o seu Deus (Ezequiel 11:19-20).

Fiquei muito entusiasmada na primeira vez em que li esta promessa. Esta passagem diz que Deus nos dará o poder para termos uma consciência sensível, capaz de ser sensível a Ele. Quando Deus fala através da convicção, devemos ter um forte desejo de fazer o que é certo.

A condenação do diabo enche as pessoas de desespero e futilidade. É importante que os crentes entendam a diferença entre convicção e condenação. Muitos cristãos ainda misturam as duas coisas. Eles acham que estão sendo condenados quando na verdade estão sendo convencidos.

Por causa do abuso que sofri, carreguei um sentimento de condenação para dentro da minha vida espiritual e do meu relacionamento com Deus. Sentia que devia haver alguma coisa errada comigo, do contrário as coisas ruins não teriam acontecido. Quando aprendi pela primeira vez o que a Palavra diz que eu deveria fazer, senti como se cada mensagem me condenasse, e fiquei ainda mais envergonhada de mim mesma.

Eu amava a Deus, mas frequentar as conferências bíblicas fazia com que eu me sentisse infeliz. Voltava para casa me sentindo pior do que estava antes das reuniões. Ouvir a Palavra deve nos convencer, e não nos condenar. Não estou dizendo que a Palavra de Deus deva sempre fazer com que nos sintamos confortáveis — ela deve nos impulsionar a galgar um novo nível. Mas ela também deve nos dar o poder motivador para realizarmos esta subida.

Quando Deus trabalha na vida das pessoas, Ele condena o pecado, mas nunca condena o pecador. A Sua Palavra demonstra amor pelo indivíduo e o alimenta e encoraja a sair daquele pecado e a seguir em frente. Deus condena o pecado, mas Ele concede misericórdia ao pecador, de modo que nunca precisamos ter medo de deixar que Deus nos mostre o que estamos fazendo de errado.

> *O Espírito Santo vive em nós porque Ele tem um trabalho a fazer.*

O Espírito Santo vive em nós, e Ele não pode se aproximar mais de nós do que isto. Ele não vem apenas para ocupar espaço, ou porque não tem outro lugar para onde ir. O Espírito Santo vive em nós porque Ele tem um trabalho a fazer, que é nos ensinar, consolar, e conduzir ao plano de Deus para as nossas vidas.

O Espírito Santo sabe exatamente do que precisamos. Ele é um perito em renovar a nossa consciência para que ela fique sintonizada com o coração de Deus. Ele é como o mecânico que consertou rapidamente uma máquina que ninguém mais sabia como consertar, e depois enviou aos proprietários uma nota de dez mil dólares.

"Dez mil dólares?" argumentaram os proprietários. "Tudo que você fez foi dar uma apertadinha!"

O mecânico respondeu: "Um dólar é o pagamento pelo meu tempo. O resto é por saber onde apertar".

Jesus já pagou o preço pelo nosso conserto, e o Espírito Santo sabe exatamente onde apertar. Ele sabe o que precisa ser consertado e quando. Ele não lança tudo sobre nós de uma só vez, mas não faz sentido dizer a Deus que não estamos prontos para mudar. Ele só nos convence a mudar quando sabe que estamos prontos. Se não fosse o momento certo em nossas vidas para que aquele problema fosse tratado, Deus não nos convenceria dele.

A CONVICÇÃO NOS CONVENCE A PEDIR A AJUDA DE DEUS

Quando Deus lhe revela um problema que precisa ser tratado em sua vida, você pode confiar que a unção também estará presente para quebrar o jugo do seu cativeiro. Se você adiar o confronto ao comportamento até que deseje lidar com ele, poderá ter de enfrentar a mudança sem a unção. Quando Deus convence, Ele também unge, de modo que esta é a melhor hora para se render à Sua ajuda na mudança. Frequentemente queremos fazer as coisas no nosso próprio tempo, e lutamos sem parar porque não estamos pedindo a ajuda de Deus.

Aprendi a lidar com problemas no momento em que Deus quer tratar com eles. Até nas reuniões que lidero, eu costumava fazer um plano e um programa. Às vezes eu sentia que Deus queria que eu interrompesse a reunião e orasse por alguém; mas se aquilo não se encaixasse no meu programa, eu adiava. Depois, mais tarde, tentava fazer o que Deus queria que eu fizesse antes, e ia tudo por água abaixo. Eu havia perdido o fluir do que estava acontecendo no tempo de Deus. Precisamos agir quando Deus nos diz para agir.

Em uma reunião, fiz um intervalo e fui ao banheiro das mulheres, onde uma mulher disse: "Sabe, gostaria que você fizesse um apelo para pessoas que fumam; estou com um problema terrível de fumo".

Assim que ela falou, o Espírito Santo encheu-me de fé por ela. Impus as mãos sobre ela e disse: "Seja curada em nome de Jesus". Ela provavelmente achou que eu fosse um pouco impulsiva, mas aprendi a agir quando sinto a fé se mover em mim. Quando a unção de Deus vem para libertar as pessoas, o momento é *agora*; não é algo que colocamos de lado e pegamos mais tarde. Eu sabia que tinha de orar naquele instante.

Em geral, oro por pessoas que querem ser libertas do fumo. Não condeno aqueles que fumam, mas muitas pessoas estão esgotadas pelo cativeiro do vício e precisam de um milagre de Deus para serem libertas. Alguns podem acreditar que o fumo não é pior do que a fofoca, o julgamento, a compulsão por comida ou qualquer outra coisa, mas é algo prejudicial ao nosso corpo, além de ser dispendioso.

Comecei a fumar quando tinha nove anos de idade e fumei durante anos. Fiquei muito grata quando Deus finalmente me libertou desse hábito. A convicção de Deus me levou a crer nele para me libertar de muitos hábitos, inclusive o hábito de ter uma atitude negativa e de dizer palavras negativas, de comer demais e de fumar.

Quando a convicção vem sobre nós, é Deus falando conosco porque Ele quer nos ajudar em alguma área. Ele não está nos condenando, mas está tentando fazer com que saibamos que Ele quer que vivamos uma vida longa e saudável. Quando o Espírito Santo falar à sua consciência sobre as mudanças que precisam ser feitas, ore imediatamente. Peça a Deus para libertá-lo e para efetuar essas mudanças através da sua fé em Jesus. Você pode orar por libertação dos vícios e do comportamento insensível através desta oração:

Pai,

Em nome de Jesus, libero a minha fé para receber a Tua libertação neste instante. Assumo a autoridade sobre o hábito de _____
(cite o hábito, por exemplo, nicotina, álcool, drogas). Eu ordeno que isto seja arrancado de mim, e oro para que Tu me fortaleças para me afastar deste comportamento e não pecar mais.

Oro para que Tu faças uma destas coisas: ou me libertes agora mesmo, para que eu nunca deseje fazer isto novamente, ou me dês a força para dizer "não" a este hábito até ser livre dele. É o que Te peço em nome de Jesus. Amém.

A unção está presente quando clamamos o nome de Jesus. Creio que você pode ser milagrosamente liberto de vícios dolorosos enquanto lê este livro. Aja sempre pela fé quando sentir que Deus está trazendo convicção à sua consciência. Ela serve como uma bússola confiável para uma vida realmente cheia de Deus.

O ESPÍRITO SANTO NUNCA NOS CONDENARÁ

Como disse antes, Jesus disse: "Vocês ficarão melhor se Eu partir, porque quando Eu partir, enviarei o Espírito Santo a vocês" (ver João 16). É maravilhoso ter um relacionamento íntimo com o Espírito Santo – é maravilhoso ter alguém em nossas vidas que nos diz quando estamos seguindo pelo caminho errado.

A minha boca me trouxe problemas durante anos. Eu arruinava relacionamentos e constrangia a mim mesma pelas coisas que dizia. Agora posso sentir o Espírito Santo me convencendo, e na maior parte do tempo opto por seguir por outra direção antes de me meter em encrencas. Deus não precisa mais pregar uma série de quatro sermões para me convencer a obedecê-lo. Ele simplesmente soa um alarme no meu coração espiritual e me motiva a agir como Jesus agiria. Quando a nossa consciência é sensível à voz da convicção, Deus pode nos manter *longe* dos problemas em vez de ter de nos resgatar *dos* problemas o tempo todo.

Deus pode nos manter longe dos problemas em vez de ter de nos resgatar dos problemas.

Jesus estava falando do Espírito Santo quando disse "Quando Ele vier, convencerá o mundo do pecado, da justiça e do juízo" (João 16:8). Ele não disse nada sobre o Espírito Santo trazer condenação. Ele disse que Ele "convencerá o mundo do pecado, da justiça e do juízo". O Espírito Santo revela os resultados do pecado e os resultados da justiça para que as pessoas possam ver a vida e a morte colocadas diante delas e clamar a Deus para que Ele as ajude a escolher a vida.

As pessoas que vivem em pecado têm vidas infelizes e destroçadas. Encontrei pessoas da minha idade que conheci há anos e que não

DEUS FALA ATRAVÉS DA CONVICÇÃO

101

têm vivido para Deus. O estilo de vida difícil e árduo que elas escolheram as prejudicou. As escolhas tristes, amargas e miseráveis que fizeram são visíveis porque o pecado fez com que elas adquirissem uma aparência feia e envelhecida.

O poder de Deus pode fazer com que tenhamos uma aparência melhor e nos sintamos mais jovens, porque não estamos vivendo a vida dura do pecado. Este é o poder de Deus em operação no mundo hoje, demonstrando os resultados do pecado e os resultados da justiça. A linha entre os dois está se tornando claramente distinta. Não é mais difícil dizer quem pertence a Deus e quem não pertence. O mundo em que vivemos está cheio de densas trevas (ver Isaías 9:2). Mas Deus deu Jesus como "luz às nações" (ver Isaías 42:6). A Sua luz é visível na face dos verdadeiros crentes.

PERMANEÇA NA PRESENÇA DE DEUS

Muitas vezes me pergunto como qualquer ser humano pode sobreviver um só dia sem Deus. Quando sinto que estou perdendo a presença íntima de Deus por um dia, mal posso suportar a ideia. Sou como uma criancinha que perdeu a mãe em uma loja; tudo que posso fazer é passar meu tempo tentando voltar a encontrá-la. Não quero estar fora da comunhão com o Senhor. Preciso tê-lo para atravessar cada dia da minha vida.

Através da minha consciência, o Espírito Santo me faz saber se estou fazendo algo errado que o entristece ou interfere com a nossa comunhão. Ele me mostra se fiz algo errado e me ajuda a voltar ao lugar onde devo estar. Ele me dá convicção e me convence, mas nunca, nunca me condena.

Deus nos ama ainda mais do que nós amamos nossos filhos, e no Seu amor Ele nos disciplina. Lembro-me de como eu detestava tirar qualquer privilégio de meus filhos. Mas eu sabia que eles estariam destinados a ter problemas se não aprendessem a me ouvir. Deus tem a mesma preocupação conosco, mas Ele é paciente. Ele nos diz por vezes seguidas o que devemos fazer. Ele pode nos dizer isso de quinze maneiras diferentes, tentando chamar a nossa atenção.

A Sua mensagem de amor convincente está por toda parte. Ele quer que ouçamos a Sua voz porque Ele nos ama. Se persistimos em seguir os nossos caminhos, Ele retém os privilégios e as bênçãos de nós. Ma Ele só faz isto porque quer que amadureçamos e cheguemos a um nível no qual Ele possa derramar a plenitude das Suas bênçãos sobre nós. Se Deus nos deu livremente Seu Filho Jesus, certamente Ele não nos negará nada mais que possamos precisar. Ele quer nos abençoar de forma radical e de forma exorbitante:

> Aquele que não poupou seu próprio Filho, mas o entregou por todos nós, como não nos dará juntamente com ele, e de graça, todas as coisas? Quem fará alguma acusação contra os escolhidos de Deus? É Deus quem os justifica. Quem os condenará? Foi Cristo Jesus que morreu; e mais, que ressuscitou e está à direita de Deus, e também intercede por nós (Romanos 8:32-34).

Se a condenação estiver enchendo a nossa consciência, isto não procede de Deus. Ele enviou Jesus para morrer por nós, para pagar o preço pelos nossos pecados. Jesus levou o nosso pecado e a condenação (ver Isaías 53). Devemos nos livrar do pecado, mas não guardar a culpa. Uma vez que deus quebra o jugo do pecado de sobre nós, Ele também remove a culpa. Ele é fiel e justo para perdoar todos os nossos pecados e para nos limpar continuamente de toda injustiça (ver 1 João 1:9).

Precisamos de perdão a cada dia de nossas vidas. O Espírito Santo dispara o alarme na nossa consciência para reconhecer o pecado, e Ele nos dá o poder do sangue de Jesus para nos limpar continuamente e para nos manter em posição de retidão perante Ele.

VÁ OUSADAMENTE AO TRONO DE DEUS

Depois que somos convencidos do pecado, ficamos mal-humorados enquanto Deus está tratando conosco. Até admitirmos o nosso pecado, estarmos prontos a abandoná-lo e pedirmos perdão, sentimos uma pressão que massacra o pior que existe em nós. Assim que entramos em acordo com Deus, a nossa paz retorna, e o nosso comportamento melhora.

O diabo sabe que a condenação e a vergonha nos impedem de nos aproximarmos de Deus em oração para que as nossas necessidades sejam atendidas e possamos novamente desfrutar da comunhão com Ele. Quando nos sentimos mal com nós mesmos, ou pensamos que Deus está zangado conosco, isso nos separa da Sua presença. Ele não nos abandona, mas somos nós que, com medo, nos afastamos Dele.

A condenação e a vergonha nos impedem de nos aproximarmos de Deus em oração.

É por isso que é tão importante discernir a verdade e saber a diferença entre convicção e condenação. Lembre-se, se você der ouvidos à convicção, ela o ergue e o tira do pecado; a condenação só faz você se sentir mal consigo mesmo.

Quando você ora pelas pessoas, o Espírito Santo as convence do pecado e elas geralmente começam a agir pior do que agiam antes. Mas não deixe que isso faça com que você acredite que as suas orações não estão surtindo efeito. Na verdade, este é um bom sinal de que Deus está realmente trabalhando, trazendo convicção do pecado e tentando convencê-las da necessidade de mudar. Portanto, continue orando!

Quando estiver orando, peça sempre a Deus para lhe trazer convicção do seu próprio pecado, entendendo que a convicção é uma bênção, e não um problema. Se somente as pessoas perfeitas pudessem orar e receber respostas, ninguém estaria orando. Não precisamos ser perfeitos, mas realmente precisamos ser limpos do pecado. Quando inicio o meu tempo de oração, quase sempre peço ao meu Pai celestial para me limpar de todo pecado e injustiça. Quando oramos em nome de Jesus, estamos apresentando ao nosso Pai tudo que Jesus é, e não tudo que nós somos.

A convicção é uma necessidade crucial para andarmos com Deus de forma adequada. O dom da convicção é uma maneira de ouvir a Deus. Não cometa o erro de deixar que ela o condene, como eu fiz por anos. Deixe que a convicção o eleve a um novo nível em Deus. Não resista a ela; receba-a.

QUESTÕES PARA REFLETIR

1. O seu coração está endurecido? Por quê? O pecado fez com que você se afastasse de Deus?

2. Como Deus pode estar sempre conosco e ainda assim o nosso pecado nos separar Dele?

3. Na sua vida, você consegue distinguir entre condenação e convicção do Espírito Santo? Se não, o que você precisa fazer para ser capaz de fazer esta distinção?

4. Descreva uma ocasião em que você se sentiu condenado pelo seu pecado. O que você fez? Qual foi o resultado?

5. Descreva uma ocasião em que o Espírito Santo o convenceu do pecado. O que você fez? Qual foi o resultado?

6. Existe algum vício em sua vida que o Espírito Santo está impulsionando você a superar? Se existe, qual é? Qual é o seu plano de ataque?

7. Com as suas palavras, diga qual é a diferença entre convicção do Espírito Santo e condenação.

8. O que você acha que Deus o está conduzindo a fazer em resposta a este capítulo?

Desenvolva um "Ouvido Treinado"

Fiquei fascinada quando soube que alguns cavalos têm o que os treinadores chamam de "ouvido treinado". Enquanto a maioria dos cavalos é guiada e dirigida por uma correia amarrada a um freio em sua boca, alguns cavalos têm um ouvido voltado para a voz do dono. Um ouvido está aberto para os avisos naturais; o outro é sensível ao treinador de confiança.

Elias precisava ouvir a voz de Deus, e felizmente tinha um ouvido treinado para ouvi-la, embora no mundo natural estivesse muito assustado pelo que havia ouvido. Ele havia acabado de derrotar 450 falsos profetas em um duelo de poder entre o silencioso deus Baal e o Deus de Abraão, Isaque e Jacó. Agora a rainha Jezabel, que havia matado os profetas do Senhor, ameaçava matar Elias no espaço de um dia. Elias fugiu para salvar sua vida, escondeu-se em uma caverna, e orou pedindo a Deus para morrer antes que Jezabel o encontrasse. Então o Senhor enviou a Sua palavra a Elias, perguntando: "O que você está fazendo aqui?".

Elias relatou os acontecimentos e as ameaças e disse: "Eles estão atrás de mim, para tirar-me a vida!".

Então o Senhor demonstrou a Sua presença a Elias mais uma vez, dizendo a ele para se colocar de pé na montanha diante Dele. Um forte vento rasgou as montanhas, e quebrou as pedras em pedaços; mas o Senhor não estava no vento. Depois do vento, houve um terremoto terrível; mas o Senhor não estava no terremoto. Depois do terremoto, irrompeu um fogo; mas o Senhor não estava no fogo. Depois do fogo, veio "uma voz mansa e suave". Então o Senhor disse a Elias para deixar o seu esconderijo e ir ungir os próximos reis que serviriam à Síria e Israel, e também o profeta que tomaria o seu lugar (ver 1 Reis 16-19). E Elias obedeceu à voz mansa e suave do Senhor.

A história de Elias nos ajuda a entender como ouvir a Deus quando precisamos de direção. Deus não tranquilizou Elias com uma manifestação de poder exibicionista e ofuscante, embora Ele já tivesse provado que era capaz de fazer isso. Deus falou com o Seu profeta com uma voz mansa e suave. Deus ainda escolhe se comunicar diretamente com os Seus filhos através de um sussurro no fundo do espírito deles.

"Deus é espírito, e é necessário que os seus adoradores o adorem em espírito e em verdade" (João 4:24). Jesus explicou por que algumas pessoas não ouvem a voz de Deus:

> E o Pai que me enviou, Ele mesmo testemunhou a meu respeito. Vocês nunca ouviram a sua voz, nem viram a sua forma, nem a sua palavra habita em vocês, pois não creem naquele que Ele enviou. Vocês estudam cuidadosamente as Escrituras, porque pensam que nelas vocês têm a vida eterna. E são as Escrituras que testemunham a Meu respeito; contudo, vocês não querem vir a Mim para terem vida (João 5:37-40).

Jesus também ensinou:

> Respondeu Jesus: Em verdade, em verdade te digo: quem não nascer da água e do Espírito não pode entrar no reino de Deus. O que é nascido da carne é carne; e o que é nascido do Espírito é espírito. Não te admires de eu te dizer: importa-vos nascer de novo. O vento sopra onde quer, ouves a sua voz, mas não sabes donde vem, nem para onde vai; assim é todo o que é nascido do Espírito (João 3:5-8, ARA).

Quando nascemos de novo, somos recriados no nosso espírito para sermos sensíveis à voz de Deus. Ouvimos o Seu sussurro, embora não saibamos dizer de onde ele vem. Ele sussurra para trazer convicção e correção, dirigindo-nos com uma voz mansa e suave no fundo do nosso coração. Posso me comunicar com meu esposo através da minha carne, do meu corpo visível, da minha boca, das minhas expressões faciais, e dos meus gestos, mas se vou falar com Deus, tenho de me comunicar com Ele no meu espírito.

Deus fala ao nosso ser interior através da comunhão direta, através da nossa intuição (um sentimento inexplicável de discernimento), e através da nossa consciência (nossas convicções básicas de certo e errado). O nosso espírito pode sentir um conhecimento que podemos não ter fatos racionais evidentes para provar.

Por exemplo, quando somos sensíveis a ouvir a voz de Deus, podemos olhar para situações que parecem estar em ordem a intuitivamente "saber" que alguma coisa está errada. Esta verificação no nosso espírito nos impede de entrar em acordo com alguém ou de nos envolvermos em uma situação que não é certa para nós.

É maravilhoso ser guiado pelo Espírito de Deus. Lembro-me da época em que concluímos uma fita de música e textos bíblicos, na qual diversas pessoas trabalharam para garantir que tudo fosse feito corretamente. É um trabalho enfadonho e dispendioso alterar uma gravação quando a cópia mestra foi concluída. Eu havia ouvido a fita com nosso produtor, e Dave e eu dissemos "Sim, está bom".

Porém, uma manhã durante a semana seguinte, quando eu estava orando, senti que precisava ouvir aquela fita outra vez. Para ser sincera, não queria gastar tempo ouvindo uma fita por mais uma hora quando tinha outras mensagens que queria estudar. Mas Deus às vezes me direciona a fazer coisas que não quero fazer, e um apelo persistente fez com que eu precisasse verificar a fita mais uma vez. Quando vi que aquele sentimento não passava, finalmente disse: "Tudo bem, vou ouvir a fita".

> *Se vou falar com Deus, tenho de me comunicar com Ele no meu espírito.*

Quando ouvi os primeiros versículos na fita, percebi que havia me enganado ao fazer uma referência bíblica. A fita estaria sendo enviada no dia seguinte para a masterização final. Se eu não a tivesse ouvido *naquele* dia, o erro teria sido duplicado em dez mil cópias antes que pudéssemos corrigi-lo. Agradeço a Deus pela direção do Espírito Santo.

A voz de Deus nos manteve longe de problemas muitas vezes. Neste caso, Deus nos economizou muito dinheiro e constrangimento com telefonemas de nossa audiência, e de nossos membros, que teriam ligado para dizer: "Joyce, você sabia que está citando o versículo errado nesta fita?".

Felizmente, fui sensível o bastante à voz de Deus para ouvir a fita; por Sua graça, Deus ficou insistindo comigo até que eu a ouvi. Graças a Deus por Sua graça! Se desobedecermos à direção de Deus repetidamente, finalmente cauterizaremos a nossa consciência e permitiremos que ela se endureça e não ouça a voz de Deus (ver 1 Timóteo 4:1-2). É difícil Deus nos direcionar para nos afastarmos dos problemas se o nosso coração não é quebrantado o bastante para captarmos esses pequenos direcionamentos suaves do Espírito Santo.

Vale muito a pena fazer o que Deus quer que façamos. Cada vez que fazemos o que é certo, nos tornamos mais confiantes da Sua direção, e a nossa consciência se torna um pouco mais sensível à Sua voz. Mantenha isto em mente: Vale a pena obedecer!

O homem não salvo está espiritualmente morto, o que significa que a comunhão com Deus e com os Seus apelos intuitivos está morta. Ele não recebe as coisas por meio de revelação; ele sabe apenas o que aprende em sua mente. Mas se estamos espiritualmente vivos, Deus pode nos mostrar coisas que não poderíamos saber de nenhum outro modo a não ser por revelação divina.

Tive alguns empregos nos quais não tinha o conhecimento natural para executar as tarefas que me eram dadas, mas Deus me guiou e me capacitou para fazer coisas que eu não fui treinada para fazer. Sou formada apenas no ensino médio, e nunca estudei como liderar um ministério ou usar a comunicação de massa com eficácia. Mas Deus preparou a mim e à minha equipe com tudo o que precisamos para ministrar em transmissões de televisão e de rádio por todo o mundo.

Deus nos direciona passo a passo, pelo Seu Espírito. Ele nos ensina à medida que damos passos de fé.

Um crente pode ser guiado pelo Espírito, mas o homem não regenerado (o homem que não nasceu de novo) não tem este privilégio. Tudo que ele pode fazer é raciocinar com a sua mente, andar de acordo com a sua vontade, e seguir as suas emoções, porque o seu espírito não está vivo para a voz de Deus. Ele está limitado às suas habilidades naturais. É por isso que tantas pessoas no mundo continuam buscando mais informação e mais educação. Elas não sabem nada sobre ser ensinado e guiado pelo Espírito de Deus.

Não sou contra a educação, porque acho que a educação é maravilhosa. Mas algumas pessoas pensam que a educação é a coisa mais importante na vida. Elas acreditam que uma pessoa que não é altamente educada pode fazer muito pouco.

A Palavra de Deus diz em 1 Coríntios, capítulo 1, que Ele usa as coisas fracas e tolas do mundo para confundir as sábias. Ele usa o que o mundo descartaria como sendo de pouco ou nenhum valor para que nenhuma carne mortal possa se gloriar na Sua presença. Em outras palavras, Deus pode usar qualquer pessoa que seja comprometida e submissa a Ele e à Sua liderança.

Muitas pessoas que ocupam posições elevadas no nosso ministério não possuem treinamento profissional para fazer o que estão fazendo. Por exemplo, fui contadora e gerente de escritório, Dave atuava na área de engenharia, o nosso gerente geral era um soldador, um dos nossos gerentes de departamentos era um trabalhador de estaleiro, e o outro era um auxiliar de professor.

A educação certamente pode ser valiosa, e realmente temos pessoas em nossa equipe com treinamento específico em suas áreas, mas até mesmo as pessoas instruídas precisam depender de Deus e não apenas da sua educação.

DEUS NOS GUIA ATRAVÉS DA NOSSA CONSCIÊNCIA

Uma pessoa que não é salva não ouve a voz de Deus, e a sua intuição não funciona completamente. Mas Deus se faz conhecido a todas as pessoas em suas consciências, porque se a consciência de uma pessoa estivesse totalmente morta, Deus jamais seria capaz de dar a ela convicção do pecado e fazer com que ela fosse salva. Assim, o Espírito Santo opera na vida dos pecadores para despertar a consciência deles o suficiente para que eles percebam sua necessidade de se arrependerem e receberem a Cristo como seu Senhor e Salvador. Porém, a consciência das pessoas pode se tornar entorpecida, como se estivesse em um estado de coma, se seu senso interior de certo e errado for ignorado por muito tempo.

Dediquei minha vida à missão de despertar a consciência das pessoas para que elas possam aprender a ouvir a voz de Deus chamando-as a um nível mais alto e a uma vida melhor. Sim, elas podem conhecer o amor do Pai, a graça de Jesus Cristo, e a comunhão do Espírito Santo (ver 2 Coríntios 13:14).

O sangue purificador de Jesus tem um poder impressionante sobre a consciência. Nasci de novo aos nove anos, e lembro-me claramente que eu me sentia terrivelmente culpada antes de orar e convidar Jesus para entrar em meu coração, e que me senti muito limpa e pura depois que me arrependi e o aceitei como meu Salvador. Podemos manter esse sentimento de limpeza e frescor através do poder do arrependimento regular e contínuo. O versículo de 1 João 1:9 nos ensina que Ele é fiel e justo para nos purificar *continuamente* de toda injustiça, se admitirmos livremente que pecamos e confessarmos os nossos pecados.

Passei muitos anos da minha vida sem ter conhecimento da Palavra de Deus e por isso fui enganada por Satanás, sentindo-me culpada o tempo todo. Eu frequentava a igreja, mas não sabia nada sobre ser totalmente submissa a Deus. Eu estava executando os meus deveres religiosamente, mas não tinha ideia de que podia aprender a ser guiada diariamente pelo Espírito de Deus. Eu estava seguindo normas da igreja, e não o Espírito Santo. Em alguns casos, as normas da igreja e a liderança de Deus são as mesmas, mas este nem sempre é o caso.

Eu fazia o que queria fazer; não me importava com o modo como agia na maior parte do tempo, nem tinha sensibilidade com relação à forma como tratava as pessoas. Na verdade, pouco pensava sobre meu comportamento em qualquer área. Em fevereiro de 1976, comprometi totalmente minha vida com o Senhor. Aceitei-o como meu Senhor e não apenas como meu Salvador. Sempre digo que antes disso eu tinha o suficiente de Jesus para me manter fora do inferno, mas não o bastante para andar em vitória. Eu realmente acreditava que Jesus era meu Salvador, e que Ele havia morrido por mim e pago pelos meus pecados. Eu acreditava que Ele era o meu único caminho para o céu, mas não estava sendo ensinada sobre a necessidade de amadurecer e crescer espiritualmente. Ouvia muita doutrina quando ia à igreja, mas pouca coisa que fosse aplicável à vida diária.

Deus se faz conhecido a todos.

Meus ouvidos não estavam sintonizados com o Espírito Santo; eu certamente não tinha um "ouvido treinado". Era hora de começar a aprender a seguir a direção de Deus, e não a minha própria ou a de meus amigos, ou sequer a do mundo.

Muitas pessoas vivem debaixo de culpa e condenação contínuas, porque não sabem como dar atenção à voz da consciência. A consciência delas as incomoda, mas em vez de descobrir o motivo e confiar na graça de Deus para ajudá-las a mudar ou a corrigir o que está errado, elas ignoram a direção de Deus e continuam infelizes.

Sempre que sua consciência o incomodar, é importante descobrir o motivo e fazer algo a respeito tão logo seja possível. Se você não sente paz, fique a sós com Deus e fale com Ele para descobrir por que você está se sentindo desconfortável e deixe que Ele faça uma transformação em sua vida.

Se quisermos ser guiados pelo Espírito de Deus, devemos estar dispostos a crescer e a nos tornarmos filhos maduros de Deus. Não devemos ser guiados pelo diabo, por nossos amigos, por nossas emoções, pela nossa mente, ou pela nossa vontade. Devemos ser guiados pelo Espírito de Deus.

Quanto mais você conhece a Sua Palavra, mais entende que Ele não o guiará por um mau caminho nem o dirigirá para nada que seja mal para você. Até as coisas que possam parecer desconfortáveis no princípio se transformarão em bênçãos gloriosas para a sua vida no final, desde que você simplesmente siga a direção do Espírito Santo.

Maturidade espiritual e aprender a seguir a liderança do Espírito Santo são a mesma coisa.

Há lugares na Bíblia em inglês onde os crentes são mencionados como "children of God" (palavra usada para filhos pequenos de Deus), e há lugares na Bíblia onde eles são mencionados como "sons of God" (palavra usada para filhos crescidos de Deus). Uso este fato para provar que embora amemos nossos filhos independente da maturidade deles, há uma diferença no que podemos confiar aos nossos filhos pequenos e no que podemos confiar aos nossos filhos quando já são crescidos. Há uma diferença entre as liberdades, privilégios e responsabilidades que podemos dar a filhos maduros.

Entramos no reino de Deus como filhos pequenos, como bebês em Cristo. Então aprendemos sobre a nossa aliança e sobre sermos coerdeiros com Cristo, e ouvimos sobre as coisas maravilhosas que Deus quer fazer por nós. Mas se nunca crescermos, embora todas essas coisas possam estar separadas em uma conta no nosso nome, jamais chegaremos a desfrutar da nossa herança.

Deus tem muitos planos bons para nós.

Compramos um carro para o nosso filho antes que ele fizesse dezesseis anos. Ele ficou na garagem por meses. A nossa intenção era dá-lo a ele, mas se ele não tivesse aprendido a dirigir, nunca teríamos lhe dado o carro. Do mesmo modo, Deus tem muitos planos bons para nós. Ele tem um depósito cheio de bênçãos para cada um de nós, mas temos de amadurecer e crescer para poder tomar posse delas. Um dos principais sinais de que somos maduros no Senhor é a nossa disposição de sermos guiados pelo Espírito de Deus.

Dave e eu gostamos de saber que nossos filhos crescidos conhecem aquilo que queremos e aquilo que não queremos, o que aprovamos e o que não aprovamos. Não temos de correr para lá e para cá com uma lista de normas e regulamentos, sempre dando a eles leis para seguirem. Quando eles eram pequenos, tínhamos uma lista de coisas que eles podiam e não podiam fazer, mas quanto mais tempo eles viviam conosco, mais passaram a conhecer e a seguir o nosso coração.

DEUS QUER QUE CONFIEMOS NELE

Quanto mais tempo passamos ouvindo a Deus, mais cientes nos tornamos de como Ele quer que nos comportemos e de como Ele quer que sejam as nossas ações:

> Porque todos os que são guiados pelo Espírito de Deus são filhos de Deus. Pois vocês não receberam um espírito que os escravize para novamente temerem, mas receberam o Espírito que os adota como filhos, por meio do qual clamamos: "Aba Pai". O próprio Espírito testemunha ao nosso espírito que somos filhos de Deus. Se somos filhos, então somos herdeiros; herdeiros de Deus e coerdeiros com Cristo, se de fato participamos dos seus sofrimentos, para que também participemos da sua glória (Romanos 8:14-17).

Participar dos Seus sofrimentos? Sim, pois a questão principal é que quando a nossa carne quiser fazer uma coisa e o Espírito de Deus quiser que façamos outra, se escolhermos seguir o Espírito de Deus, a nossa carne irá sofrer. Não gostamos disso, mas a Bíblia simplesmente diz que se quisermos compartilhar a glória de Cristo, temos de estar dispostos a compartilhar os Seus sofrimentos.

Ainda posso me lembrar do quanto sofri naqueles primeiros anos em que comecei a andar em obediência, quando pensei: *Querido Deus, será que algum dia vou superar isto? Será que algum dia vou chegar ao ponto de poder obedecer a Deus e não sofrer ao fazer isso?*

Gosto de encorajar aqueles que estão apenas começando a prestar atenção à voz de Deus dizendo que quando o apetite carnal não estiver mais no controle, eles chegarão ao ponto em que será fácil obedecer a Deus – eles realmente *terão prazer* em obedecer a Deus. Em Romanos 8:18, Paulo disse: "Tenho por certo que os sofrimentos do tempo presente (esta vida presente) não podem ser comparados com a glória a ser revelada a nós, em nós e para nós, e concedida a nós!" (AMP).

Na linguagem moderna, Paulo estava dizendo: "Sofremos um pouco agora, mas e daí? A glória que virá da nossa obediência supera em muito o sofrimento que suportamos agora". Isso são boas novas! Seja o que for que estejamos passando, não é absolutamente nada se comparado às coisas boas que Deus vai fazer em nossa vida à medida que continuamos a avançar com Ele.

Um verdadeiro sinal de maturidade é demonstrado na maneira como tratamos as outras pessoas. A Bíblia é um livro sobre relacionamentos: o nosso relacionamento com Deus, o nosso relacionamento com nós mesmos, e o nosso relacionamento com as outras pessoas. A maioria das pessoas concordaria que o maior desafio é nos entendermos com outras pessoas.

Em Gálatas 5:15, Paulo disse: "Mas se vocês se mordem e se devoram uns aos outros, cuidado para não se destruírem mutuamente". Paulo escreveu isto a cristãos nascidos de novo, batizados no Espírito Santo, mas aos quais precisava lembrar constantemente o quanto era importante que eles se dessem bem uns com os outros.

Se as pessoas nos tiram do sério, a Palavra de Deus em nós começará a nos impulsionar a perdoá-las. Não é fácil fazer isso, mas temos de escolher se vamos satisfazer os desejos da carne ou se vamos ser guiados pelo Espírito.

A nossa carne pode ser provocada e fazer com que queiramos ter um ataque de nervos, mas se somos guiados pelo Espírito, sofreremos por amor a Cristo e optaremos por perdoar. Este é o sofrimento ao qual Paulo estava se referindo em Romanos. Às vezes interpretamos a mensagem do sofrimento de forma totalmente errada e desequilibrada.

O verdadeiro sofrimento bíblico não é a pobreza, a doença, ou o desastre. Jesus veio para nos curar, libertar e livrar desse tipo de sofrimento. Satanás nos ataca com essas coisas, e é possível que tenhamos de suportá-las por algum tempo enquanto esperamos que Deus nos livre; mas não é este o tipo de sofrimento que Deus quer que suportemos permanentemente. Ele quer que sejamos pacientes uns com os outros.

Temos de escolher a coisa certa em lugar da errada.

Se entrarmos em disputas, a nossa comunhão uns com os outros pode ser destruída. Devemos falar e viver habitualmente no

Espírito Santo, abandonando o hábito de machucar as pessoas. Se andarmos na carne, não nos entenderemos com ninguém, porque o ponto principal é que todos nós gostamos das coisas do nosso jeito. A carne é egoísta e egocêntrica. Se andarmos na carne, nunca agiremos como Jesus.

Deus nos ensina o que é certo, e durante todo o dia, todos os dias, sete dias na semana, temos de escolher a coisa certa em lugar da errada. Até que a última trombeta soe, e Jesus venha nos buscar, precisaremos dizer *não* ao eu e *sim* a Deus.

Assim como o cavalo com o "ouvido treinado" sempre sintonizado em seu dono, precisamos estar dispostos a seguir o Senhor em *todo* direcionamento que Ele nos der, e não apenas nos direcionamentos que nos fazem sentir bem ou com os quais por acaso concordamos. Nem sempre vamos gostar do que ouvimos.

Precisamos entender que para seguir a Deus será necessário dizer *não* à carne, e quando isso acontece, a carne sofre. Também é importante entender que pode haver ocasiões em que estaremos indo a toda velocidade em uma direção, quando de repente o Mestre nos dirá para *pararmos e nos instruirá a seguir em outra direção.*

Em Gálatas 5:16, o apóstolo Paulo nos disse: "Vivam pelo Espírito, e de modo nenhum satisfarão os desejos da carne".

Se seguirmos a direção do Espírito, não satisfaremos nem realizaremos os desejos da carne que nos afastam do melhor de Deus. Este versículo não diz que os desejos da carne vão desaparecer. Mas se escolhermos ser guiados pelo Espírito, não satisfaremos os desejos da carne – e o diabo não conseguirá o que queria.

Sentiremos uma guerra sendo travada em nós à medida que escolhermos nos conformar à direção de Deus. A nossa carne nunca vai querer o que o Espírito quer, e mesmo quando o nosso espírito quiser seguir ao Senhor, os apetites da nossa carne nos tentarão a desobedecermos a Deus. Enquanto estivermos aqui na terra, a nossa carne e o nosso coração nascido de novo *não* estarão de acordo (ver Romanos 13:14, Gálatas 5:17). Então, precisamos aprender a obedecer ao Espírito de Deus e a dizer à nossa carne que se submeta.

DEUS QUER GOVERNAR AS NOSSAS VIDAS

Deus quer estar no governo das nossas vidas. Quando somos guiados pelo Espírito, cumpriremos as justas exigências da lei. Quando sigo a direção do Espírito, sei que estou agradando ao Senhor.

Se fico irada com Dave e o Espírito Santo me diz para pedir perdão, agrado ao Senhor quando obedeço e peço perdão a ele. Se sou tentada a fazer uma fofoca sobre alguém, mas sinto o pequeno sinal do Espírito Santo me dizendo para sair daquela conversa, estou sendo obediente se calo minha boca imediatamente. Se estou em alta velocidade na estrada e o Espírito Santo diz "Você está ultrapassando o limite de velocidade", quando diminuo a pressão no acelerador, estou honrando a Deus.

Se não formos obedientes a Deus e permitirmos que Ele governe a nossa vida nas pequenas coisas, Ele nunca nos colocará sobre coisas maiores. Muitas pessoas querem estar na direção de coisas grandes na vida, mas não querem dar atenção a Deus nas coisas pequenas.

Lembre-se do que eu disse antes: *"Se você não está disposto a ouvir a Deus em uma área, isto pode incapacitá-lo a ouvi-lo em outra"*. Não podemos escolher o que vamos e o que não vamos ouvir. Deus quer governar a nossa vida; é importante entregar as rédeas a Ele.

Paulo constantemente ensinava as pessoas a serem guiadas pelo Espírito. Ele não estava ministrando a lei, mas o Espírito. Ele passou muito tempo ensinando a diferença entre lei e graça. Ele disse acerca de Deus:

> [Foi Ele] O qual nos habilitou [nos tornando aptos, dignos e suficientes] para sermos ministros e despenseiros de uma nova aliança [de salvação através de Cristo], não [ministros] da letra (do código legalmente escrito) mas do Espírito; porque a letra [da Lei] mata, mas o Espírito [Santo] vivifica. Como não será de muito maior e esplêndida glória a dispensação do Espírito [este ministério espiritual cuja tarefa é fazer com que os homens obtenham e o Espírito Santo e sejam governados por Ele]? (2 Coríntios 3: 6, 8, AMP).

Paulo estava dizendo que a dispensação do Espírito, ou a nova aliança, fará com que os homens tenham duas coisas: em primeiro lugar, obterão o Espírito Santo (terão o Espírito Santo em suas vidas), e em segundo lugar, serão governados pelo Espírito Santo em suas vidas.

Este é o padrão que todos os ministros do evangelho devem seguir: fazer com que as pessoas recebam a Cristo, e recebam o Espírito Santo em suas vidas. Muitas pessoas fazem a oração de arrependimento e depois voltam a viver do modo como sempre viveram, sem muitas mudanças. Elas recebem o Espírito de Deus em suas vidas, mas não permitem que Ele as governe diariamente, a cada momento.

A falha ou recusa das pessoas em ouvir a Deus cria uma barreira entre elas e as bênçãos de Deus. Se simplesmente obedecessem à sua consciência, agradariam a Deus e teriam a vida abundante que Ele quer que elas desfrutem. Mas as pessoas fazem o que querem fazer, ou fazem o que todo mundo está fazendo, em vez de seguirem a direção, os apelos e o direcionamento do Espírito Santo. Por outro lado, todos aqueles que aprendem a ser governados pela Sua voz mansa e suave, verão bênçãos sendo derramadas em suas vidas e terão o prazer de saber que estão agradando a Deus.

QUESTÕES PARA REFLETIR

1. O que significa ouvir a voz mansa e suave de Deus no seu espírito? Você já teve esta experiência?

2. Como você sabe que a voz mansa e suave de Deus não é a sua própria emoção ou desejo?

3. Descreva uma ocasião em que o Espírito lhe lembrou de algo prático. Qual foi o desfecho dessa situação?

4. O que é um ouvido treinado? Você tem um? Como você pode cultivar um ouvido treinado?

5. Se a consciência de uma pessoa pode se tornar excessivamente entorpecida, como o Espírito Santo pode convencê-la do pecado? Você já teve esta experiência?

6. O que é a comunhão do Espírito Santo? De que maneira você já a sentiu em sua vida?

7. O que você acha que Deus o está conduzindo a fazer em resposta a este capítulo?

Parte 2

APRENDENDO A OBEDECER

Minha mãe e meus irmãos são aqueles que ouvem a Palavra de Deus e a praticam!

- PALAVRAS DE JESUS EM LUCAS 8:21

A Obediência Mantém a Nossa Consciência Sensível

Deus pode falar conosco de diferentes formas, mas se endurecermos a nossa consciência ou o nosso coração, e nos recusarmos a obedecer quando Ele falar, perderemos as bênçãos que Ele quer nos dar. Lembro-me de quando cada pequena coisa que Deus queria que eu fizesse, ou tudo que eu estava fazendo que Ele *não* queria que eu fizesse, passou a ser uma queda de braço entre nós. Deus tratava comigo por semanas, às vezes meses, e algumas vezes até *anos,* até que eu colocasse em minha cabeça dura que Ele não ia mudar de ideia.

Quando eu finalmente cedia ao modo Dele, as coisas sempre funcionavam para me abençoar muito além da minha imaginação. Eu me sujeitava a uma agonia desnecessária por não ouvir e obedecer à voz de Deus. Se tivesse simplesmente feito o que Deus me havia dito para fazer da primeira vez, teria poupado muitos problemas.

A maioria de nós tende a ser teimosa e obstinada na nossa maneira de querer as coisas, mesmo que a nossa maneira não esteja funcionando. No entanto, podemos aprender a ser mansos para com Deus e nos tornarmos sensíveis à Sua voz e à direção do Espírito Santo. O nosso homem espiritual interior foi destinado a ter comunhão com Deus. Ele fala, tanto através da nossa intuição quanto da nossa consciência, a fim de nos manter longe dos problemas e para que saibamos o que é certo e o que é errado.

Algumas coisas podem ser erradas para uma pessoa, mas certas para outra, e por isso precisamos da direção individual da Deus. Naturalmente, existem diretrizes gerais que se aplicam a todos; todos nós sabemos que não devemos mentir, enganar, ou roubar, por exemplo. Mas há certas coisas que podem ser aceitáveis para minha amiga e que não são aceitáveis para mim. Deus tem planos diferentes para cada um de nós, e Ele sabe certas coisas sobre nós que nem mesmo nós sabemos a respeito de nós mesmos.

Podemos não entender por que Deus nos diz para não fazer algo quando todo mundo está fazendo, mas se a nossa consciência for sensível, saberemos claramente quando Deus estiver nos impulsionando a *não* fazer aquilo. O ponto principal é: não temos de saber o *porquê* por trás de tudo – precisamos apenas aprender a obedecer.

Os soldados que estão sendo treinados para a batalha às vezes recebem ordens ridículas que não fazem sentido. Eles aprendem a obedecer rapidamente, sem questionar. Se estivessem na linha de frente de uma batalha e seus líderes lhes dessem uma ordem, eles poderiam ser mortos caso se virassem para perguntar por quê. Do mesmo modo, Deus quer que aprendamos a confiar nele e que simplesmente obedeçamos.

A nossa consciência funciona como um monitor interno, que soa um alarme quando pisamos fora da linha. Cristãos maduros aprenderam a dizer: "Preciso consultar meu espírito sobre isso. Deixe-me orar a respeito e ver como o Senhor me direciona". Os não crentes podem se perguntar o que isto significa.

Mas quando permanecemos no Senhor, e Ele em nós, se não estiver nos planos Dele que sigamos em frente com um projeto, podemos sentir rapidamente a Sua reprovação. Já senti esta hesitação em meu espírito quando estava fazendo compras, conversando, ou fazendo planos para fazer alguma coisa. Tudo parece estar bem, e de repente uma sensação de cautela se levanta e faz com que eu recue até que Deus me dê uma direção clara.

Deus não grita conosco nem nos empurra para o caminho que Ele quer que sigamos. Ele *nos guia*, como um pastor gentil, convidando-nos a segui-lo em direção a pastos mais verdes. Ele quer que cheguemos ao ponto em que aquele suave palpite sugerindo cautela,

A Obediência Mantém a Nossa Consciência Sensível

seja suficiente para fazer com que nós perguntemos: "O que o Senhor está querendo me dizer?" No instante em que sentirmos aquele pequeno desconforto ou falta de paz, saberemos que precisamos buscar a direção do Senhor antes de tomar uma decisão.

A Bíblia diz que se reconhecermos Deus em todos os nossos caminhos, Ele endireitará as nossas veredas (ver Provérbios 3:6). Reconhecê-lo significa simplesmente que temos respeito por Ele o suficiente, e temor reverente e espanto por Ele o suficiente para nos importarmos com o que Ele pensa a respeito de cada movimento nosso.

Uma boa maneira de começar cada dia seria orando assim:

Senhor,

Importo-me com o que Tu pensas, e não quero fazer coisas que Tu não queres que eu faça. Se eu começar a fazer alguma coisa hoje que Tu não queres que eu faça, por favor, mostra-me o que é, para que eu possa parar e fazer a Tua vontade. Amém.

A nossa consciência nos corrige e repreende para nos deixar inquietos todas as vezes que nos faltar a glória de Deus. Precisamos aprender a seguir o que ela nos diz com relação às nossas intenções e às nossas ações – não apenas *depois* que fizemos algo, mas quando estamos *pretendendo* fazer algo. A nossa consciência nos dirá se o que pretendemos fazer é certo.

Precisamos tomar cuidado para permanecermos sensíveis à verdade de Deus, porque a Sua Palavra diz que a tendência de ignorarmos a Sua voz aumentará nos últimos dias. 1 Timóteo 4:1 diz: "O Espírito diz claramente que nos últimos tempos alguns

A nossa consciência funciona como um monitor interno que soa um alarme quando pisamos fora da linha.

abandonarão a fé e seguirão espíritos enganadores e doutrinas de demônios". Os versículos 2 e 3 advertem que a consciência de algumas pessoas estará cauterizada, e que elas se tornarão mentirosas e hipócritas, ensinando falsas doutrinas que elas mesmas nem sequer praticam.

Se uma ferida está cauterizada, o tecido se torna uma cicatriz sem sensibilidade. Do mesmo modo, quando a consciência de uma pessoa fica cauterizada, ela se torna dura e amortecida para o que deveria ser sentido. As pessoas deveriam lamentar quando causam dor a outras, mas há pessoas no mundo em cujas almas parece não haver restado nenhuma simpatia ou compaixão.

Quando as pessoas nos ferem, podemos deixar a cicatriz endurecer nosso coração para com elas, mas se fizermos isto, perderemos a nossa sensibilidade para as coisas boas que Deus quer fazer por nós. Em vez disso, devemos orar para que aqueles que nos feriram desenvolvam uma consciência sensível à voz de Deus, e para que nós mesmos permaneçamos sensíveis à Sua voz. As nossas orações não atropelarão o livre arbítrio dos outros, mas podemos pedir a Deus para operar na vida deles e na nossa, para que todos nós sejamos sensíveis à Sua direção. Esta oração simples pode manter a nossa consciência sensível a Deus para que possamos viver na expectativa da Sua direção:

Pai,

Peço-Te em nome de Jesus por mim e pelos meus amados que têm a consciência cauterizada e endurecida. Peço-Te que faças uma obra para quebrar essa dureza em nós. Por favor, amacia o nosso coração para contigo. Dá-nos corações sensíveis que respondam à Tua direção, para que possamos imediatamente sentir o que Tu estás dizendo e fazer o que Tu queres que façamos. Em nome de Jesus, peço-te que nos ajudes a sermos mansos de coração e sensíveis ao Espírito Santo. Amém.

Se esperamos ouvir a voz de Deus, precisamos prestar atenção à Sua voz e manter os ouvidos propensos a ouvir os sons da Sua direção. Também devemos obedecer se quisermos ouvi-lo com frequência. A nossa sensibilidade à Sua voz em nosso homem interior pode ser aumentada pela obediência, assim como pode ser diminuída pela desobediência. Desobediência gera desobediência, e obediência gera obediência. Descobri que quanto mais obediente sou, mais fácil é ser

A Obediência Mantém a Nossa Consciência Sensível

obediente novamente. E quanto mais desobediente sou, mais fácil é ser desobediente.

Há dias em que podemos dizer, assim que acordamos, que vamos ter o que chamo de um "dia carnal". Começamos o dia nos sentindo rebeldes e preguiçosos. Nosso primeiro pensamento é: *Não vou limpar a casa. Vou fazer compras. Não vou seguir esta dieta estúpida. Vou comer o que quiser o dia inteiro, e não quero ninguém me incomodando por causa disso. Se fizerem isso, vou dizer a eles o que penso.*

Se nos *sentimos* assim ao acordar, temos uma decisão a tomar. Podemos seguir esses sentimentos ou podemos orar: "Deus, por favor, ajuda-me, depressa!" Os nossos sentimentos podem ficar debaixo do senhorio de Jesus Cristo se pedirmos a Ele que nos ajude a corrigir a nossa atitude.

Sei tudo sobre dias carnais; sei que podemos começar agindo mal, e tudo pode ir de mal a pior. Parece que quando damos lugar a uma atitude egoísta e seguimos a nossa carne, as coisas descem ladeira abaixo e o resultado é um dia desperdiçado. Mas todas as vezes que obedecemos a nossa consciência, ampliamos a janela que Deus pode usar para nos direcionar pelo Seu Espírito. Todas as vezes que seguimos a direção da nossa consciência, ela deixa entrar mais luz na próxima vez. Quando sabemos que Deus realmente nos levará a um plano melhor, fica mais fácil obedecer a Ele imediatamente.

Buscar a Deus para ter respostas é uma habilidade que se desenvolve, e testemunhar o envolvimento de Deus nos leva a um estilo de vida frutífero. Muitas pessoas não veem Deus porque não estão buscando a Deus. Os nossos olhos espirituais veem com a consciência cheia da luz de Deus:

> Os olhos são a candeia do corpo. Se os seus olhos forem bons, todo o seu corpo será cheio de luz. Mas se os seus olhos forem maus, todo o seu corpo será cheio de trevas. Portanto, se a luz que está dentro de você são trevas, que tremendas trevas são! (Mateus 6:22-23).

A vida de muitas pessoas hoje está cheia de densas trevas porque elas não deram atenção à voz da sua consciência. A consciência delas destina-se a guiá-las, mas elas não conseguem mais ver o caminho certo a seguir porque apagaram o pouco de luz que receberam. É triste ter pensamentos cheios de trevas e de peso.

As pessoas não podem ser felizes quando não há luz em seu caminho para o futuro. Com a consciência em trevas, elas não gostam de si mesmas nem de ninguém. Nada parece funcionar para elas, e tudo é resultado do fato de não obedecerem a Deus.

Elas aprendem que a felicidade não pode ser comprada em um balcão nem empacotada em garrafas ou latas. O dinheiro não pode comprar uma passagem permanente para a felicidade. Mas uma consciência boa e clara é de grande valor. Ela enche nossas vidas de luz enquanto os outros tateiam nas trevas.

A minha consciência ainda funciona direito mesmo quando minha boca segue pela direção errada. Ela exige respostas positivas a situações negativas. Se falo com Dave de uma maneira que não devia, ou se faço uma fofoca sobre alguém ou reclamo de alguma coisa, sinto o Espírito Santo tocando minha consciência e impulsionando-a a voltar para a luz do amor de Deus. Minha consciência exige que eu endireite a minha maneira de falar, mas posso concordar em fazer o que ela me diz, ou posso preferir ignorá-la.

Não aposte que alguma coisa vai funcionar.

Se eu responder à minha consciência com qualquer coisa que não seja a justiça que ela exige, ela falará mais suavemente na próxima vez. Cada vez que a voz da consciência é rejeitada, ela se torna mais suave e mais difícil de ouvir. Se maltratar alguém, a minha consciência exige que eu peça perdão. Se me recusar, na próxima vez que eu maltratar alguém, será ainda mais fácil ignorar a minha consciência e continuar a desobedecer.

Não estamos obedecendo à nossa consciência se ela nos diz para desligarmos a TV quando estando vendo um filme, mas nós damos uma desculpa e continuamos assistindo. Muitas vezes tentamos abafar a voz da consciência com a desculpa de que "todo mundo está fazendo". Um dos principais motivos pelo qual as pessoas caem em pecado é porque todo mundo faz isso.

A Obediência Mantém a Nossa Consciência Sensível

Você pode estar se preparando para casar com um incrédulo, mas a sua consciência está emitindo alarmes altos, porque você sabe que a Palavra diz: "Não vos ponhais em jugo desigual com os incrédulos" (2 Coríntios 6:14, ARA). Mas você a ignora. Por que você se surpreenderia se terminasse tendo problemas?

Algumas pessoas ignoram os sinais de advertência que Deus lhes dá porque têm medo de serem as únicas separadas, sozinhas, sem amigos ou família. Por medo, elas decidem fazer a coisa errada, e depois mais tarde desejam de todo o coração que nunca tivessem agido contra a sua consciência.

Não aposte que alguma coisa vai funcionar se você não tem a aprovação de Deus. A Bíblia diz que Jesus é o Autor e Consumador da nossa fé (ver Hebreus 12:2). Aprendi que Ele não é obrigado a terminar nada que Ele não iniciou. Muitas vezes começamos algo e depois ficamos irados com Deus se Ele não vem completá-la.

As pessoas têm problemas porque começam as obras por si mesmas e depois oram para que Deus abençoe algo que Ele nunca as orientou a fazer, para início de conversa.

DEUS FALARÁ CONOSCO SOBRE RELACIONAMENTOS

Se prestarmos atenção, Deus falará conosco com relação ao nosso casamento, às nossas amizades, e às nossas parcerias nos negócios. Ele pode pedir que cortemos laços de amizades ou relacionamentos com pessoas que podem nos tentar a nos afastarmos do Seu plano para as nossas vidas. Se desperdiçarmos tempo com alguém que é egoísta e egocêntrico, em breve poderemos passar todo o nosso tempo pensando no que podemos conseguir em benefício próprio.

Deus pode nos encorajar a fazer amizade com alguém que está envolvido na arte de contribuir. Não demorará muito e nós também nos envolveremos com isso. É empolgante passar tempo com alguém que realmente ouve a voz de Deus, alguém que realmente sente o que o Espírito Santo está dizendo e fazendo. Ele também poderá dizer quando estamos com alguém que tem os ouvidos espirituais entorpecidos (ver Provérbios 27:17), e nos orientar a afiar a nossa capacidade de ouvir as coisas certas andando com pessoas que praticam ouvir a voz de Deus e obedecem a Ele.

O Espírito Santo ocupa uma posição de autoridade sobre nós. Ele fala através da nossa consciência, portanto, devemos nos submeter à Sua autoridade. A nossa própria mente, sem a influência do Espírito Santo, nos levará à morte: "A mentalidade da carne é morte, mas a mentalidade do Espírito é vida e paz" (Romanos 8:6).

1 Coríntios 2:13-15 diz que o homem natural não entende o homem espiritual, no sentido de que a nossa mente racional não entende o nosso coração espiritual. Uma pessoa simplesmente não pode obedecer ao Espírito sem prestar atenção à voz da consciência. Quanto mais espiritual o crente é, mais ele ouve a voz da sua consciência. A consciência do crente deve ser para ele uma verdadeira e boa amiga.

O Espírito Santo não tenta me revelar coisas que não estou pronta para suportar. Se Deus revelasse de uma só vez tudo que está errado conosco, ficaríamos arrasados. Ainda me lembro da primeira vez que Deus me revelou que era difícil para as pessoas conviverem comigo. Eu achava que todos os outros tinham problemas, menos eu.

Um dia, estava orando para que Dave mudasse, e o Espírito Santo veio a mim e disse: "O problema não é Dave". Deus me mostrou que algumas das minhas atitudes estavam erradas, e que algumas das minhas maneiras de agir estavam erradas. Chorei durante três dias! Isso foi em 1976, mas marcou o início de mudanças importantes na minha atitude, nos meus atos e finalmente em minha vida.

Gosto que Deus fale comigo de maneira direta e precisa. Depois que fui cheia do Espírito Santo, passei a dar boas-vindas à mudança. Hoje, Deus já me mostrou muitas coisas que me teriam feito chorar por anos se tivesse me mostrado todas elas de uma vez. Deus é muito bom por tratar conosco uma coisa de cada vez.

Talvez você possa se lembrar de alguma coisa que fez há anos, e que incomodaria a sua consciência se a fizesse agora. É possível que isso não o tivesse incomodado há cinco anos, mas pelo fato de Deus ter lhe falado sobre isso, hoje você não pensa mais em fazê-lo.

Deus fala conosco sobre um problema, trabalha conosco para trazer correção, e depois nos deixa descansar por algum tempo. Mas finalmente, se ainda estivermos prestando atenção, Ele sempre irá falar conosco sobre uma coisa nova.

Costumávamos passar pela vida por uma estrada larga e imprudente, mas agora somos guiados pelo caminho estreito. Lembro-me de ter dito a Deus certa vez: "Parece que o meu caminho fica cada vez mais estreito". Lembro-me de ter sentido que o caminho pelo qual Deus estava me guiando estava ficando tão estreito que não havia mais espaço nele para mim. Não é de admirar que Paulo tenha dito: "Já não sou eu quem vive, mas Cristo vive em mim" (ver Gálatas 2:20). Quando Jesus passa a viver em nós, Ele fixa residência permanentemente, e lentamente vai expandindo a Sua presença até que haja mais Dele e menos da nossa velha natureza egoísta.

Não podemos agir adequadamente em fé se tivermos uma consciência culpada por não obedecermos ao que sabemos que Deus quer que façamos. Essa convicção afeta a nossa fé e a nossa adoração a Deus. O apóstolo Paulo falou muitas vezes sobre a sua consciência, dizendo: "Digo a verdade em Cristo, não minto, testemunhando comigo, no Espírito, a minha própria consciência" (Romanos 9:1, ARA).

> *Não podemos agir adequadamente em fé se tivermos uma consciência culpada.*

Não importa o que Paulo fizesse, ele estava acostumado a consultar sua consciência para saber se ela testificava a aprovação de Deus. Paulo disse que sabia que estava fazendo a coisa certa porque o Espírito Santo iluminava sua consciência. Paulo obviamente havia desenvolvido um "ouvido treinado".

Precisamos viver do mesmo modo.

Se a nossa consciência não testifica, se não cremos que Deus está de acordo com o que planejamos fazer, não devemos prosseguir, ainda que não consigamos explicar por que sentimos que alguma coisa está errada. Não estou falando de basear nossas decisões em sentimentos, mas há uma sensação de desconforto quando Deus está falando através da nossa consciência para impedir-nos de sair do caminho estreito que conduz ao melhor de Deus para nós. A nossa

DEUS FALARÁ CONOSCO SOBRE EQUILÍBRIO

Ouvir o Espírito Santo nos manterá equilibrados em todas as áreas da nossa vida. O Espírito nos dirá quando estamos gastando demais, ou até quando não estivermos gastando o suficiente. Algumas pessoas são extravagantes, e outras são mesquinhas; as duas estão desequilibradas. 1 Pedro 5:8 afirma que devemos ser bem equilibrados a fim de impedir que Satanás tire vantagem de nós.

Algumas pessoas fazem coisas demais por seus filhos, e é por isso que seus filhos têm problemas. Pais bem intencionados podem tornar tudo fácil demais para seus filhos, impedindo-os de crescer com um senso de responsabilidade e dependência do Senhor.

Quando nossos filhos eram pequenos, havia vezes em que nós queríamos lhes dar algo, mas nos sentíamos desconfortáveis com isso. Aprendemos a prestar atenção à nossa intuição e a esperar até que sentíssemos paz. Às vezes tínhamos de dizer "Não sinto paz a respeito disto". Se eles ficassem aborrecidos, nós os encorajávamos a orar para que Deus revelasse qual era a coisa certa a fazer com relação àquela situação. Até crianças podem aprender a esperar que a paz as direcione.

Hoje nossos filhos são crescidos, e todos eles são sensíveis à voz do Espírito Santo, por isso podemos fazer pouco por eles agora. Eles sempre têm boas atitudes e também querem fazer coisas para nós. Temos um relacionamento maravilhoso com eles.

Você não precisa dar desculpas a ninguém por esperar que o Espírito Santo dirija as suas decisões. Faça a escolha de ser dirigido pela paz. Creio que era assim que Paulo vivia. Quando as pessoas o julgavam, Paulo respondia dizendo com ousadia que se recomendava à consciência de todo homem, na presença de Deus (ver 2 Coríntios 4:2).

Quando era acusado, creio que Paulo sondava sua consciência para ver se sentia convicção em seu coração. A maioria de nós consulta a sua lógica ou os seus sentimentos. Consultamos aos nossos amigos, mas geralmente deixamos de consultar a Deus. Quando o acusador vem, devemos simplesmente perguntar a Deus a verdade, dizendo: "Senhor, fiz algo errado?".

Se não fizemos nada errado, podemos resistir ao acusador e seguir em frente. Se fizemos algo errado, podemos nos arrepender e ainda assim seguir em frente. Saber que Deus não nos condenará, mesmo se o acusador estiver certo, nos dá a liberdade para nos voltar para Deus para termos confirmação sobre qualquer dúvida que tenhamos. Deus quer condenar a condenação à morte. Ele quer que sejamos livres, e que não vivamos debaixo de um cativeiro. Ele quer que a paz governe as nossas vidas e nos mantenha equilibrados.

Às vezes, quando as pessoas se sentem acusadas, pode não ser a sua consciência convencendo-as de culpa. Os seus sentimentos de culpa podem ser consequência de alguns problemas do passado. Um bom exemplo é uma menina que teve um pai alcoólatra que costumava diminuí-la. Ele dizia coisas terríveis a ela o tempo todo, e o resultado foi que ela cresceu se sentindo inútil e desvalorizada. Hoje ela é uma moça meiga que ama o Senhor e tem uma família preciosa, mas por causa do seu sentimento de culpa, ela não faz nada por si mesma.

Ela não compra nada para si mesma. Ela não tira férias. Ela não se dá ao luxo de ter nenhum prazer. Falei com ela sobre este problema ao longo dos anos, e pude ver que ela fez algum progresso. Ela está percebendo que a autonegação desequilibrada não é a vontade de Deus para ela. Isso é resultado da maneira como seu pai a tratava.

Depois de descobrir que sua consciência está limpa diante do Senhor, ela ainda acha difícil fazer qualquer coisa de boa para si mesma. Quando faz compras, geralmente coloca coisas no carrinho, e depois as coloca de volta na prateleira. Seu marido diz: "Por que você está devolvendo isto? Pensei que estivesse precisando". Mas se ela acha que pode passar sem aquilo, ela o devolve. Depois de anos andando com Deus, ela ainda sente que não merece coisas boas porque não é

> *Tome cuidado para não confundir os sentimentos com a direção de Deus.*

digna delas. Sua consciência o aprova, mas a sua mente não entra em acordo com ela por causa das coisas que aconteceram no seu passado. Mas bem lá no fundo, ela sabe que Deus quer abençoá-la.

Estou compartilhando a história dessa jovem porque muitas pessoas podem se identificar com seus sentimentos. Muitas pessoas têm um sentimento de culpa, mas não se trata necessariamente da consciência delas falando. Precisamos tomar cuidado para não confundir os sentimentos com a direção de Deus. Deus quer que desfrutemos a vida.

Em situações como esta, aprendi a não seguir simplesmente os sentimentos ou a minha mente, mas a esperar um instante para sentir o que está se passando no fundo do meu espírito. O Espírito da Verdade está no nosso espírito e nos guiará a toda a verdade à medida que esperarmos nele.

Entendo por que algumas pessoas ficam desequilibradas e acham que ser feliz é errado. Quando criança, sempre que eu estava me divertindo, faziam com que eu me sentisse culpada. Não era permitido que nós, crianças, desfrutássemos de nada. Se parecesse que estávamos nos divertindo, nos diziam "O que vocês estão fazendo? Entrem aqui! Vocês não precisam brincar".

Por ter crescido em um lar no qual sofria abuso, tive de lidar com muita culpa. Precisei aprender a verdade sobre a convicção de uma ofensa contra Deus lendo e estudando a Palavra para saber exatamente o que Ele queria de mim. Cheguei à conclusão de que Deus não quer que eu me sinta culpada pelas coisas que aconteceram comigo e que não pude evitar.

Durante anos, senti que tudo em minha vida devia ser trabalho, trabalho, e mais trabalho. Enquanto estivesse trabalhando, enquanto estivesse realizando alguma coisa, enquanto estivesse fazendo o que todos queriam que eu fizesse, eu não me sentia mais culpada. Mas essa não era a voz equilibrada de Deus falando comigo.

Podemos ter vontade de trabalhar, mas a nossa consciência pode estar nos dizendo para parar e simplesmente nos divertirmos. Se ouvirmos a nossa consciência que foi iluminada pelo Espírito Santo, ela nos dirá para relaxarmos e nos divertirmos.

A Obediência Mantém a Nossa Consciência Sensível

Nunca me esquecerei de quando meus filhos estavam tentando me convencer a assistir a um filme com eles. Eles ficavam dizendo: "Vamos lá, mamãe! Você não precisa trabalhar o dia inteiro e orar no tempo que sobra. Sabemos que você ama a Deus. Venha cá e assista a um filme conosco. Vamos fazer pipoca e nos divertir um pouco".

Finalmente levei meu corpo para lá, deitei-me no sofá, comi pipoca e assisti a um filme com meus filhos. Tomamos refrigerantes, e tudo estava bem, mas eu estava me sentindo culpada. Pensei: *Vamos lá, Joyce, o refrigerante é diet, a pipoca é light, e o filme é da Disney. Por que você está se sentindo culpada?*

Não era a minha consciência falando comigo; eram aquelas antigas feridas da minha infância. Se eu tivesse consultado a Deus, saberia que não é errado reservar algum tempo para estar com a minha família. Não há nada de errado em tirar um dia de folga. Não há nada de errado em se divertir. Não há nada de errado em jogar golfe com meu marido. Não há nada de errado em nada disso. Mas eu não conseguia afastar o sentimento de culpa por causa do modo como fui criada.

As pessoas que têm mais problemas em obedecer à sua consciência, em geral são pessoas que são inseguras porque sofreram abuso. Elas não sabem quem são em Cristo porque têm muito medo de fazer com que seu Pai, Deus, fique zangado com elas. Elas não têm nenhuma liberdade. Elas vivem em uma prisão, uma pequena caixa, sentindo-se mal com cada movimento que fazem.

Jesus disse: "O ladrão vem apenas para roubar, matar e destruir; eu vim para que tenham vida, e a tenham plenamente" (ver João 10:10). Pare de consultar sua mente e seus sentimentos, e comece a consultar o Espírito Santo dentro de você. Você precisa lutar contra qualquer coisa que não proceda de Deus.

Uma consciência sensível colocará você no caminho para a verdadeira alegria no Espírito Santo. Resista à culpa, à condenação e a se sentir mal com cada movimento que faz, e aproxime-se de Deus.

Aprendi a simplesmente pedir a Deus para me dizer se eu estiver fazendo algo errado. Então, muitas vezes, o Senhor diz: "Faça tudo que estiver em seu coração. Eu estou em tudo o que você faz. Vá se divertir. Tenha um bom dia. O trabalho estará aqui quando você voltar".

Um dia, Dave me pediu para jogar golfe com ele. Comecei a dizer *não*, e depois pensei *Por que não?* Sabia que Deus queria que eu fosse com Dave aquele dia. Deus não quer que eu seja preguiçosa e negligencie minhas responsabilidades, mas Ele também não quer que eu pense que tudo na vida é trabalho.

Na verdade, levei anos para aprender a descansar. Eu era uma viciada em trabalho, e mais de uma vez fiquei doente por excesso de trabalho e por não descansar. Embora estivesse fazendo o "trabalho do reino", ainda assim não podia ignorar as leis de Deus relativas ao descanso sem pagar o preço. Fiquei impressionada com a boa saúde de que desfrutei desde que aprendi a descansar adequadamente e a não me sentir culpada por isso.

A Bíblia diz que devemos permanecer firmes na liberdade na qual Cristo nos libertou e não nos submetermos, de novo, ao jugo de escravidão, o qual um dia abandonamos (ver Gálatas 5:1). Se quisermos viver em liberdade, precisamos estar determinados a fazer isso. Para onde quer que nos voltemos, o diabo tentará fazer com que nos sintamos culpados.

Muitas pessoas foram tão machucadas emocionalmente, que na verdade se sentem culpadas por quase tudo. Elas têm um falso sentimento de culpa e de responsabilidade. Eu era uma dessas pessoas, e você talvez também se encaixe nessa categoria. Se for assim, o que pode ser feito?

De acordo com Isaías 61:1, Jesus morreu para abrir as portas das prisões e para libertar os cativos. Este versículo, na verdade, se refere à prisão do pecado, da culpa e da condenação. Jesus morreu para que os nossos pecados pudessem ser perdoados e completamente removidos juntamente com qualquer sentimento de culpa e condenação.

> Mas ele foi transpassado por causa das nossas transgressões, foi esmagado por causa de nossas iniquidades; o castigo que nos trouxe paz estava sobre ele, e pelas suas feridas fomos curados (Isaías 53:5).

Este versículo nos diz que Jesus morreu pelos nossos pecados e pela nossa culpa. Também não é a vontade Dele que permaneçamos presos. Se você é como eu era, e precisa ser liberto de um falso sentimento de culpa, comece a orar especificamente por equilíbrio nessa área e estude o que a Bíblia diz sobre o seu direito à liberdade.

Estude o amor de Deus e aprenda que o Senhor realmente quer que você desfrute a sua vida, o que não é possível quando você está continuamente sobrecarregado pela culpa. Naturalmente, devemos lamentar sinceramente os nossos pecados, mas a Bíblia diz que há tempo para chorar e tempo para se alegrar (ver Eclesiastes 3:1, 4): "O choro pode durar uma noite, mas a alegria vem pela manhã" (Salmo 30:5, ARC). É normal nos sentirmos culpados quando percebemos que ofendemos a Deus ou que magoamos outra pessoa. Mas ficamos desequilibrados quando guardamos a culpa, mesmo depois que nos arrependemos do erro e acreditamos que Deus nos perdoou por ele.

> *O Senhor realmente quer que você desfrute a sua vida.*

Escrevi vários outros livros que o ajudarão nesta área. *A Raiz de Rejeição* e *How to Succeed at Being Yourself (Como Ter Êxito em Ser Você Mesmo)* são alguns que recomendo. A principal coisa que o encorajo a fazer é tomar a decisão de que você absolutamente não se contentará com uma vida de sentimentos de culpa que o tornem infeliz e que o impeçam de desfrutar a vida.

Deus nunca diz palavras para fazer com que nos sintamos mal com nós mesmos. A verdadeira convicção que procede de Deus é algo positivo que nos impulsiona a um novo nível de santidade. A condenação do diabo nos oprime debaixo de um fardo pesado, para que não consigamos sequer ouvir a voz de Deus. Precisamos resistir a ele através da oração:

Pai,

A Tua Palavra diz que Tu queres que desfrutemos nossas vidas para que a nossa alegria seja completa em Ti. O ladrão vem para matar, roubar e destruir, mas Jesus veio para que eu possa ter e aproveitar a vida, e uma vida em abundância, ao máximo e até transbordar. Obrigado, Senhor.

Eu te peço, Pai, que eu possa ter equilíbrio em minha vida, e que ela possa ser cheia de alegria. Dá-me uma consciência mansa, que seja sensível à Tua voz. Dá-me paz e liberdade para desfrutar das pessoas, do meu emprego, da minha família, e principalmente do meu relacionamento contigo. Amém.

QUESTÕES PARA REFLETIR

1. Existe alguma coisa que Deus lhe disse para não fazer que todo mundo parece estar fazendo? O que é? Você está firme no que Ele lhe disse? O que você pode fazer para se manter firme?

2. Quem na sua vida é como o ferro, afiando você? O que você pode fazer para cultivar esse relacionamento?

3. Você é como ferro que afia outra pessoa? Quem? De que maneiras você pode desenvolver mais esta área da sua vida?

4. Existe alguém em sua vida com quem Deus está lhe direcionando a cortar amizade? Você está andando em obediência?

5. Você consegue se lembrar de alguma coisa que costumava ser um hábito ou uma prática há cinco anos, que você nem sonharia em fazer atualmente porque Deus falou com você com relação a essa questão? O que é? Como Ele tratou com você?

6. Como a nossa obediência à voz de Deus pode fazer com que sejamos uma bênção para as pessoas que nos cercam?

7. Você se sente culpado por alguma coisa do seu passado? É um falso sentimento de culpa? Em caso positivo, como isso acontece? Passe algum tempo em oração pedindo a Deus para ajudá-lo a superar esse sentimento de culpa.

8. O que você acha que Deus o está conduzindo a fazer em resposta a este capítulo?

Conhecemos Apenas em Parte

Pode haver ocasiões em que simplesmente não conseguimos ver através das trevas que parecem estar se fechando ao nosso redor. É nesses momentos em que precisamos de tolerância e paciência que a nossa fé é aumentada e aprendemos a confiar em Deus, mesmo quando não conseguimos ouvir a Sua voz.

O nosso nível de confiança pode crescer a um ponto no qual "saber" é ainda melhor do que "ouvir". Como sempre digo, podemos não saber o que fazer, mas basta conhecer Aquele que sabe. Todos nós gostamos de ter uma direção específica; no entanto, quando não a temos, saber que Deus é fiel e sempre comprometido com a Sua promessa, e que Ele prometeu estar sempre conosco, é um consolo, e nos mantém estáveis até o tempo certo em que Deus falará conosco de forma mais especifica (ver 1 Coríntios 1:9; Mateus 28:20).

Deus disse: "Conduzirei os cegos por caminhos que eles não conheceram, por veredas desconhecidas eu os guiarei; transformarei as trevas em luz diante deles e tornarei retos os lugares acidentados. Essas são as coisas que farei; não os abandonarei" (Isaías 42:16).

A palavra hebraica traduzida por "cegos" neste versículo, é usada tanto de maneira literal quanto figurada.[1] Há muitas pessoas que possuem uma visão natural perspicaz, mas que espiritualmente são cegas – e surdas. Se você sente que está tropeçando nas trevas e não sabe o que fazer, eu o encorajo a tomar posse desta promessa do Senhor em Isaías. Deus quer transformar as suas trevas em luz. Ele está determinado a fazer boas coisas por você, e Ele não o desamparará.

Muitos cristãos decoram Provérbios 3:5-6, que diz "Confie no Senhor de todo o seu coração e não se apoie em seu próprio entendimento; reconheça o Senhor em todos os seus caminhos, e ele endireitará as suas veredas". Mas eles tendem a esquecer de que a confiança é para as ocasiões em que não conseguem ter respostas tão rapidamente quanto querem.

Não é necessário *confiar* em Deus quando temos o pleno entendimento e conhecimento do que Ele está fazendo a nosso favor. A palavra hebraica traduzida como "confiar" no versículo 5 significa ser ousado, confiante, seguro e certo. [2] A confiança é necessária nas ocasiões em que, seja qual for o motivo, não estamos ouvindo a voz de Deus tão claramente quanto gostaríamos.

Antes de ouvir a voz de Deus, precisamos aprender a contar com o Seu caráter, a Sua habilidade, e a Sua força durante o tempo em que não estamos ouvindo a Sua voz. Se confiarmos nele durante esse tempo, Ele promete deixar claro o caminho que devemos seguir.

Ele promete iluminar o caminho que devemos seguir.

Todos desfrutaremos (e sofreremos) um misto de épocas em nossas vidas em que podemos estar certos a respeito de algo em uma área onde temos buscado a Deus, mas incertos em outra área. Sempre teremos novas tentações a enfrentar. Mas precisamos aprender a confiar *todas* as situações ao Senhor, mesmo quando Ele parece estar em silêncio.

Deus fez uma promessa a Abraão de que Ele abençoaria os seus herdeiros, e nós somos herdeiros da promessa pela fé, na graça de Deus, através de Jesus Cristo (ver Gálatas 3:29): "Significando que, mediante o evangelho, os gentios são coerdeiros com Israel, membros do mesmo corpo, e coparticipantes da promessa em Cristo Jesus" (Efésios 3:6).

A verdade da Palavra escrita de Deus é uma âncora para as nossas almas quando nos tornamos temporariamente cegos pelas tempestades repentinas da vida. Sempre podemos ouvir a Deus através da Sua Palavra escrita. Ela nunca muda nem varia na sua intenção para conosco. Mesmo que a Sua Palavra não fale à nossa situação *específica,* ela fala sobre o caráter de Deus, e nos diz que Ele sempre cuidará de nós e fará um caminho para nós.

A Palavra ensina que o nosso conhecimento é fragmentado, incompleto e imperfeito. Conhecemos em parte e profetizamos em parte (ver 1 Coríntios 13:9-10). Portanto, isto me diz que nunca haverá um tempo em minha vida ou na sua em que possamos dizer: "Sei tudo sobre tudo que preciso saber. Tenho respostas para a minha vida neste instante. Não há mais nada que eu precise saber".

Ora, alguns de nós podemos pensar que sabemos tudo! Mas conhecemos em parte, e é por isso que ainda precisamos de confiança, independente do quanto Deus nos diga, ou do quanto Ele fale claramente conosco.

Ele nos *guia.* Ele não nos empurra. Ele não nos dá um mapa e nos envia para seguirmos o nosso caminho sem Ele. Ele quer que mantenhamos os nossos olhos nele, e que o sigamos um passo de cada vez. Passo a passo. Passo a passo.

DEUS NOS GUIA UM PASSO DE CADA VEZ

Abraão aprendeu a confiar em Deus para guiá-lo um passo de cada vez. A sua história de fé começa em Gênesis 12:1: "Então o Senhor disse a Abrão: 'Saia da sua terra, do meio dos seus parentes e da casa de seu pai, e vá para a terra *que eu lhe mostrarei*'" (ênfase da autora).

Deus deu a Abrão o passo número um, mas não lhe deu o passo número dois. Ele basicamente disse que Abraão não saberia qual era o passo número dois até que tivesse executado o passo número um. É muito simples, mas muito profundo: Deus nos direciona *um passo de cada vez.*

Você pode ser como muitas pessoas, que se recusam a dar o passo número um até acharem que entenderam os passos número dois, três, quatro e cinco. Se você é assim, espero que seja inspirado a seguir em frente com o plano de Deus para a sua vida confiando nele para dar o primeiro passo. Entender que a vontade Dele para você é revelada um passo de cada vez edificará a sua confiança para fazer pelo menos o que você já sabe que deve fazer. Após os dois primeiros passos, a sua fé aumentará porque você perceberá que sempre há uma base segura por baixo de cada passo que Ele o instrui a dar.

Quando Deus falou com Abraão, pediu a ele que desse um passo difícil. Ele disse: "Abraão, desmonte a sua tenda, deixe este país com o qual você é tão familiar, deixe sua família, deixe todos os seus parentes, e vá para onde Eu o conduzir. Confie em Mim, tudo isto é para o seu bem".

Talvez Abraão não tenha sentido que se mudar seria benéfico para ele naquele momento. Não há evidências na Bíblia de que ele estivesse descontente ou que tivesse qualquer problema com seus parentes. Ele talvez até gostasse bastante de todos eles. Mas Deus disse a ele para fazer as malas e ir para o lugar que Ele ainda iria lhe mostrar.

Quando obedecemos a Deus, somos abençoados. As pessoas perdem as bênçãos porque não obedecem ao que Deus lhes diz claramente para fazer. Deus prepara um bom plano para as nossas vidas para que andemos nele. Ele nos mostra o caminho a seguir, e devemos andar nessa direção. Às vezes, Deus pode ser gracioso o bastante para nos carregar durante parte do caminho. Mas chega o tempo em que o "colo" termina, e Ele diz: "Agora, ande!".

A fé geralmente exige ação.

Deus quer um corpo de pessoas que lhe obedeçam, e Ele quer pessoas que lhe obedeçam depressa. O Senhor não quer que argumentemos com Ele durante três ou quatro semanas antes de fazermos qualquer pequena coisa. Ele quer que confiemos nele para dar o primeiro passo que Ele nos chama a dar.

As pessoas geralmente oram para ter uma "grande fé", mas elas não entendem que a fé cresce à medida que nos levantamos para fazer coisas sobre as quais não temos qualquer experiência ou que talvez não entendamos totalmente. Não creio que alguém seja automaticamente uma pessoa com uma grande fé; a fé se torna grande através da experiência. Ela se desenvolve na medida em que é utilizada.

Em Lucas 17:5, os apóstolos disseram ao Senhor: "Aumenta a nossa fé". Jesus respondeu como está registrado no versículo 6: "Se vocês tiverem fé do tamanho de uma semente de mostarda, poderão dizer a esta amoreira: 'Arranque-se e plante-se no mar', e ela lhes obedecerá".

Creio que o que Jesus quis dizer foi: "Se vocês tivessem alguma fé, estariam fazendo alguma coisa". Uma das maneiras pelas quais liberamos a nossa fé é fazendo alguma coisa. A fé geralmente exige ação. Os apóstolos não estavam fazendo nada naquela situação, mas queriam ter uma grande fé.

Há momentos em que Deus não quer que tomemos nenhuma atitude, porque deseja que esperemos que Ele entre em ação. No entanto, até a confiança é ativa e não passiva. Devemos estar ativamente confiando em Deus, orando e confessando a Sua Palavra enquanto esperamos que Ele aja em nosso favor.

Abraão tornou-se um homem de grande fé dando passos de obediência, mesmo quando não entendia totalmente os passos que lhe eram pedidos para dar.

Deus precisou tratar comigo durante um ano inteiro antes que eu estivesse disposta a dar um passo de fé e obedecer a Ele com relação ao ministério que hoje exercemos. Eu não estava sendo desobediente de propósito. Apenas queria estar realmente segura de que estava fazendo a coisa certa e de que estava realmente ouvindo a voz de Deus e não estava sendo confundida. Era uma decisão muito importante, e o medo estava combatendo a minha fé.

Deus falou comigo sobre algumas coisas com relação ao futuro do meu ministério. Naquela época, estava trabalhando na equipe de uma igreja, e tinha o que eu considerava uma posição muito boa. No entanto, tinha sonhos e visão que eu sentia que vinham de Deus, de fazer muitas outras coisas no ministério que não poderiam ser executadas se eu permanecesse naquela posição.

Deus estava dizendo que eu deveria deixar meu emprego e levar meu ministério para o norte, o sul, o leste e o oeste. Recebi muitas palavras de confirmação de outras pessoas que nem sequer sabiam que Deus estava falando comigo. Além disso, meu esposo vinha me dizendo havia algum tempo que sentia que eu precisava avançar para coisas novas e ver o que Deus faria. Mas eu tinha medo de dar um passo em direção ao desconhecido.

Precisei ser obediente parar deixar uma posição de segurança e me lançar no desconhecido para descobrir o que Deus faria em seguida. Eu havia ouvido o Senhor dizer: "Este período da sua vida já terminou, o que Eu tinha para você neste lugar já se esgotou". Sentia um misto de entusiasmo e medo. Eu queria ir, mas não queria correr o risco de estar errada e perder o que tinha. Tenho certeza de que você sabe do que estou falando.

Às vezes, Deus termina algo que estava fazendo, mas nós não. Meu espírito queria avançar, mas a minha carne queria ficar. Eu tinha vínculos emocionais com as pessoas da igreja, e gostava da segurança de saber que receberia um salário regularmente e que teria um lugar onde ministrar. Eu tinha de estar disposta a investir o que tinha para ganhar o que Deus havia planejado para o meu futuro.

Não foi fácil obedecer, mas Deus me lembrou da Sua promessa a Abraão: "Farei de você um grande povo, e o abençoarei. Tornarei famoso o seu nome, e você será uma bênção" (Gênesis 12:2).

Podemos ler esta promessa e pensar: *Oh, Aleluia!*, mas não podemos nos esquecer que Deus exigiu um sacrifício de obediência a Abraão para que ele recebesse essa promessa. Abraão teve de deixar o lugar onde estava, o lugar onde se sentia confortável. Ele teve de deixar seu pai e todos os seus parentes, e simplesmente começar a caminhar pela fé para o lugar que Deus disse que lhe mostraria.

Mas Abraão se preocupou com isso? Hebreus 11:8 diz: "Pela fé Abraão, quando chamado, obedeceu e dirigiu-se a um lugar que mais tarde receberia como herança, embora não soubesse para onde estava indo". Abraão simplesmente começou a caminhar pela fé.

Finalmente, eu também obedeci a Deus. Gostaria de poder dizer que, assim como Abraão, não me preocupei em saber para onde estava indo, mas com toda sinceridade esse não foi o caso. Precisávamos marcar reuniões semanais em redor da região de St. Louis, Missouri, em substituição à que tínhamos na igreja onde eu trabalhava.

Eu queria ser obediente ao que acreditava que Deus havia nos dito: "leve seu ministério e vá para o norte, o sul, o leste e o oeste". Entretanto, ninguém queria nos alugar um lugar para as reuniões.

Foi necessário sermos diligentes e continuar a perseverar no que parecia ser uma eternidade, embora na verdade não tivesse sido tanto tempo assim.

Ninguém nos conhecia fora da região de S. Louis, então tudo que fizemos foi ir para o norte, o sul, o leste e o oeste em St. Louis. Finalmente conseguimos alugar um local em salões próprios para banquetes em cada uma dessas áreas, e fazíamos reuniões semanais ou mensais. Embora tivéssemos dado o passo número um em obediência, ainda tínhamos de perseverar.

Esperava que Deus se movesse milagrosamente de formas grandiosas em resposta ao meu ato de obediência, mas as coisas não aconteceram como eu esperava. Quando olho para trás agora, sei que elas aconteceram da forma correta, mas não conseguia ver isto naquele tempo. Geralmente vemos com mais clareza e temos um entendimento melhor quando olhamos para trás, do que quando estamos passando pelas situações.

O diabo aproveitou-se da nossa falta de experiência.

Ouvimos a frase "não temos espaço disponível" tantas vezes que isso se tornou muito desanimador. Como geralmente faz, o diabo se aproveitou da nossa falta de experiência nesta área para nos dizer com frequência que havíamos cometido um erro e que certamente faríamos papel de tolos.

Dave tinha mais fé do que eu e frequentemente me incentivava a prosseguir. Finalmente, encontramos um lugar para realizarmos todas as nossas reuniões. Elas tiveram êxito e foram a base para o princípio do nosso ministério, *Life in The Word* (Vida na Palavra).

Hoje, temos levado a Palavra ao norte, sul, leste e oeste, por todo o mundo. Na verdade, enquanto escrevo este capítulo do livro, estou retornando de uma grande convenção da *Life in The Word* na África, onde tive o privilégio de estar na televisão ensinando a Palavra de Deus.

Gosto de assistir ou ler biografias de diversas pessoas que tiveram êxito no ministério, no ramo do entretenimento, ou nos negócios. Sem exceção, podemos dizer que todos eles "penaram". O que quero dizer é que no princípio de sua jornada, eles tiveram de ser muito determinados para não desistir e abandonar tudo. Eles passaram por muitos fracassos antes de terem qualquer sucesso.

Ocasionalmente, vemos o que chamo de "meteoros" - pessoas que sobem rápido até o topo de sua carreira sem passar por todos os primeiros anos de dificuldades -, mas elas geralmente não duram muito. Elas surgem do nada e desaparecem com a mesma rapidez. O caráter se desenvolve durante os tempos de dificuldade. Nosso chamado e nossos desejos são testados quando nos dizem *não* sem parar, e ainda assim, continuamos determinados.

Dizem que Abraham Lincoln concorreu a diversos cargos públicos e falhou diversas vezes antes de ser eleito Presidente dos Estados Unidos. Muitas pessoas teriam desistido, mas ele não. Thomas Edison, que inventou a luz elétrica, fracassou em cerca de mil experiências antes de ter êxito.

Somente pessoas determinadas têm êxito. Só porque demos um passo de fé, não significa que estamos isentos de passar pelo resto do processo. Deus geralmente constrói de forma lenta e sólida, e não de forma rápida e frágil.

NÃO TENHA MEDO DE COMETER ERROS

Como mencionei, quando decidi obedecer a Deus, fiquei preocupada com a possibilidade de estar cometendo um erro terrível. Muitas vezes eu argumentava com Deus: "E se eu estiver errada? Senhor, tenho um bom emprego aqui. Tenho um bom ministério nesta igreja. Estou aqui há cinco anos, e as coisas vão bem. Deus, e se eu estiver errada? Se eu estiver errada, perderei tudo pelo que trabalhei durante cinco anos!"

Aprendi que mesmo quando estamos obedecendo, geralmente não temos como saber com certeza, na esfera natural, se estamos certos ou errados. Não temos nada além da fé para nos ajudar a dar esse primeiro passo. Não vamos saber com certeza se o que estamos fazendo é certo, até termos feito e olharmos para trás para ver se Deus estava presente para ungir nossos esforços.

Algumas vezes, podemos estar errados. Este pensamento é tão assustador, que pensamos: *É melhor ficar aqui onde é seguro.* Mas, se fizermos isso, logo estaremos infelizes, caso Deus tenha realmente nos dito para avançar.

Descobri que se o nosso coração for reto, e fizermos o melhor possível quando ouvirmos a voz de Deus, Ele nos redimirá e honrará nossos passos de obediência. Se nos movermos com a confiança de uma criança para obedecer àquilo que cremos em nosso coração que Ele nos disse para fazer, mesmo que essa decisão esteja errada, Deus fará com que esse erro coopere para o nosso bem. A Sua Palavra diz que Ele faz todas as coisas cooperarem para o bem daqueles que o amam e que são chamados segundo o Seu propósito (ver Romanos 8:28).

Muitas pessoas têm medo de avançar porque acham que se cometerem um erro, Deus ficará zangado com elas. Mas é nesse momento que confiar no caráter de Deus é tão vital para andarmos por fé. As pessoas que sentem tanto medo que são incapazes de obedecer acabam sendo infelizes de qualquer maneira, portanto, não poderão piorar as coisas se derem um passo de fé e tentarem fazer o que Deus está lhes dizendo para fazer.

Eu amava meu emprego na nossa igreja local. Não saí de lá porque queria sair, mas a unção de Deus para que eu estivesse ali foi retirada, e passei a me sentir infeliz até que finalmente obedeci a Ele. Percebi que só encontraria paz se testasse o que eu acreditava que Ele havia me dito para fazer. Era a única maneira de descobrir se eu estava certa ou errada quando ouvi a Sua voz.

Portanto, agora, eu exorto você com esta verdade: Não desperdice toda a sua vida tentando fazer o jogo da segurança! A segurança é muito confortável, mas ela pode estar impedindo você de realizar o plano perfeito de Deus para a sua vida.

Lembro-me de uma vez em que eu estava tentando com todas as forças ouvir a voz de Deus, e estava com medo de cometer um erro. Foi pouco depois de ter sido batizada e cheia do Espírito Santo e de ter começado a ouvir a voz de Deus. Ser dirigida pelo Espírito Santo era algo novo para mim, então eu estava assustada porque não tinha experiência suficiente para saber se realmente estava ouvindo a Deus ou não.

Eu não entendia que Deus nos redime dos nossos erros se o nosso coração for reto. Deus estava tentando fazer com que eu desse um passo de fé para fazer algo, e eu ficava dizendo: "Senhor, e se eu estiver entendo errado? E seu eu estiver entendendo errado? E se eu estiver entendendo errado: Ah, estou com tanto medo! Deus, e se eu estiver entendendo errado?"

Ele simplesmente respondeu: "Joyce, não se preocupe; se você Me perder, Eu a encontrarei". Essas palavras, escondidas em meu coração, deram-me a coragem para fazer o que eu acreditava que Ele estava me dizendo para fazer, e elas me encorajaram a dar passos de fé muitas outras vezes desde então.

Se você quer a vontade de Deus em sua vida mais do que qualquer coisa, se você fez tudo que podia para ouvir a voz de Deus, você precisa se arriscar, dar o passo de fé, e acreditar.

Você precisa correr o risco, dar o passo de fé, e acreditar.

Talvez não seja uma decisão importante como a que eu estava tentando tomar naquela época, ou como a que Abraão teve de tomar. Talvez seja uma questão de menor importância que Deus sugeriu que você fizesse. Mas seja o que for, o mesmo princípio se aplica: Ele nos dirige passo a passo. A direção de Deus é progressiva. Você descobrirá aonde Ele quer que você vá – um passo de cada vez.

A DIREÇÃO DE DEUS PODE PARECER ILÓGICA

Em minhas conferências, geralmente peço às pessoas para levantarem as mãos se elas sabem que não deram o passo que Deus colocou diante delas para ser dado. Centenas de pessoas levantam as mãos, confessando-se. Elas estão esperando para ver o projeto completo de Deus antes de avançar, mas ver o resultado antes de obedecer não requer fé: "A fé é a certeza daquilo que *esperamos*, e a *prova das coisas que não vemos*"(Hebreus 11:1, ênfase da autora). A fé agrada a Deus.

Mas a certeza está no nosso coração, e não nas circunstâncias que nos cercam. Quando aquilo que desejamos se manifesta diante das circunstâncias, não precisamos mais de fé naquela área.

Levei muito tempo para obedecer a Deus e deixar meu antigo emprego para começar nosso ministério. É uma decisão séria soltar uma corda sem sequer conseguirmos ver a próxima corda para segurar. É irracional e a nossa mente luta contra isso. Esperei, esperei e esperei, embora Deus estivesse me dando todo tipo de confirmação que eu podia ouvir Dele.

Isto me faz pensar em uma mulher que viajou conosco para fazer uma participação especial no louvor. Ela estava envolvida em uma grande igreja, servindo na equipe de louvor, e estava extremamente envolvida no ministério de mulheres de lá. Mas Deus começou a colocar em seu coração que ela deveria abrir mão dessas coisas. Deus disse a ela: "Não quero mais que você esteja envolvida com isto. Você precisa passar mais tempo comigo". Ela não entendeu o que Deus estava fazendo, mas Ele pediu que ela abrisse mão, uma a uma, das responsabilidades que tinha.

Ela estava fazendo muitas coisas boas que estavam abençoando as pessoas. Mas ao mesmo tempo, estava crendo que Deus faria coisas maiores e melhores. Essas coisas novas não estavam acontecendo, e elas não aconteceriam até que ela obedecesse a Deus. Ela teve de deixar o lugar confortável onde estava para atender ao um chamado mais alto.

Logo, ela se viu sentada em casa, sem fazer nada, sem ministério, meio solitária. Deus falou com ela e disse: "Comece a frequentar as reuniões da Joyce". Ela tinha quatro filhos pequenos, um de sete anos, outro de cinco anos, e gêmeos de três anos. Ela precisava dirigir por cerca de quarenta e cinco minutos para chegar ao local das nossas reuniões. Mas Deus disse a ela para ir.

Eu sabia quem era porque ela havia dirigido o louvor em algumas reuniões especiais que tínhamos feito em nossa igreja local. Sabia que ela tinha uma voz excelente, mas Deus não tinha me dito nada sobre pedir que ela cantasse para nós.

Depois de cerca de seis meses vendo o seu compromisso fiel em nossas reuniões, eu disse a ela: "Se você vai congregar aqui, não gostaria de cantar e ministrar?".

Ela respondeu: "Realmente não vim com o propósito de cantar em suas reuniões; simplesmente senti que Deus me disse para estar aqui. Eu queria receber um bom ensino, e por isso vim". Mas ela disse que cantaria sempre que sentíssemos a direção de Deus para incluí-la no louvor. A princípio, isso acontecia uma vez em alguns meses, mas Deus nos dirigiu ao Seu plano para ela, passo a passo. Eu estava orando por alguém que nos acompanhasse na estrada para ministrar o louvor. E Deus a enviou a nós.

Esta mulher tinha um sonho e uma visão, mas não sabia como Deus podia resolver as coisas para que ela pudesse viajar com quatro filhos pequenos. É impressionante o que Deus pode fazer quando Ele está pronto. Foram necessários dois anos de fidelidade e de recusa a abrir mão do seu sonho antes que Deus pusesse em execução a Sua promessa de colocá-la na posição que refletia o desejo do seu coração, mas ela ficou firme e seguiu a direção de Deus passo a passo, até que o Seu plano para ela se cumprisse.

Todos nós precisamos aprender a "ficar firmes" até que a promessa de Deus se cumpra. Se ela tivesse se apegado ao ministério que tinha, nuca teria progredido para ver o desejo do seu coração se cumprir, como finalmente conseguiu ver quando se juntou a nós. Costumamos cometer o erro de nos agarrar às coisas boas, que nos impedem de atingir as coisas melhores que Deus tem em mente para nós. Essa mulher trabalhou conosco por alguns anos, e depois saiu novamente para esperar que Deus fizesse coisas ainda maiores através dela. Sim, nós chegamos ao nosso destino um passo de cada vez, e não de uma só vez.

Algo que um dia foi a vontade de Deus, pode não continuar sendo a Sua vontade para sempre. Ele é progressivo, e nos dirige a lugares mais altos. Deus nos poda e corta as coisas que não estão mais dando o tipo de fruto que Ele deseja (ver João 15:1-8). Este corte em geral é doloroso e não é compreendido de imediato, mas é necessário para que possamos crescer para sermos crentes em Jesus Cristo que dão frutos, como Ele quer que sejamos.

Às vezes, estamos tão enredados e absortos naquilo que estamos fazendo, que não ouvimos a voz de Deus quando Ele está dizendo para seguirmos em frente ou pararmos. Ficamos tão ocupados que não dedicamos tempo para examinar a raiz dos nossos sentimentos de insatisfação. Lembro-me que estava ficando muito insatisfeita com a minha posição na igreja, mas estava tão ocupada fazendo o meu trabalho ali que não dedicava tempo para avaliar por que eu me sentia daquela forma.

Deus usou o meu pastor para me levar a buscar a Deus. Como explicou, ele percebeu que alguma coisa "não estava bem" comigo. Ele foi até o meu gabinete um dia e disse: "Joyce, o que há de errado com você? Você parece muito distante e até desinteressada com o que está acontecendo na igreja".

Dos meus lábios saíram estas palavras: "Bem, talvez eu não devesse mais estar aqui". Estas palavras me chocaram. Eu não conseguia acreditar que havia dito o que acabara de me ouvir dizer. Agora, entendo que aquele pensamento havia estado em meu espírito por algum tempo, mas eu tinha tanto medo de pensar nele que estava rejeitando e ignorando o que Deus estava colocando em meu coração.

Dedique tempo para ouvir a Deus.

Embora, a princípio, meu pastor não quisesse que eu partisse, Deus o usou para me despertar. Depois de orar e esperar em Deus para ouvir o que Ele estava dizendo, concordamos que era hora de sair e descobrir o que Deus queria fazer em minha vida.

Deus estava falando, mas eu estava tão ocupada que não estava ouvindo. Eu o encorajo a não cometer o mesmo erro. Dedique tempo para ouvir a Deus, e quando você acreditar sinceramente que Ele está falando com você, dê os passos de obediência que Ele requer.

E lembre-se que o progresso exige investimento. Precisei abrir mão e "investir" o emprego que tinha. A mulher que cantava em nossas conferências ocasionalmente precisou "investir" o emprego que tinha e passar quase um ano apenas sendo fiel, até Deus lhe dar uma direção mais específica. Deus toma aquilo do qual estamos dispostos a abrir mão por Ele e multiplica, devolvendo a nós de um modo maior e mais maravilhoso do que jamais poderíamos imaginar.

SEJA DILIGENTE EM OUVIR E OBEDECER

Se quisermos que a vontade de Deus opere em nossas vidas, precisamos ser diligentes e continuar a fazer aquilo que Ele deixou claro que devemos fazer, até que Ele nos diga: "Não faça mais isto".

Hoje, temos um grande ministério, mas já percorremos muitos anos nesta estrada desde que começamos. Eu não conseguiria sequer começar a descrever todos os passos que demos para chegar onde estamos agora. Passo a passo, obedecemos à voz de Deus, fazendo as coisas que Ele nos dizia para fazer, embora fossem difíceis. Tive vontade de desistir duas ou três mil vezes, e devo ter enchido uma piscina com as lágrimas que chorei.

Mas o plano de Deus se desenrolou, passo a passo. Seguir a Deus é como escalar uma montanha. Se Deus nos mostrasse o quanto a montanha que Ele quer que escalemos é alta, talvez sentíssemos medo de dar o primeiro passo. Poderíamos argumentar que não estamos prontos, que não estamos preparados para chegarmos ao topo. Então, Ele cobre o topo do cume com uma nuvem, e tudo que podemos ver é o passo que está diante de nós.

Esse primeiro passo parece possível, e assim avançamos. E depois damos outro passo, e outro, e outro, até que um dia nos encontramos no topo da montanha sem que sequer percebêssemos para onde estávamos indo quando começamos. Então, ficamos muito felizes por temos empreendido a jornada.

Passei esse tempo procurando colocar esta mensagem de confiança em seu coração porque creio que ela é vital para compreendermos por que Deus exige fé a cada passo. Você pode pensar que não está ouvindo a voz de Deus porque não consegue ver o quadro total, mas confie no fato de que Ele está lhe mostrando tudo que você precisa no momento. Faça o que está à sua frente para fazer, e mesmo que não esteja ouvindo perfeitamente, Deus honrará a sua obediência e completará o Seu plano total para a sua vida.

Lembro-me de uma mulher que me procurou reclamando que não conseguia ouvir a voz de Deus, que Ele não estava falando com ela embora ela o estivesse buscando com relação a algumas coisas.

Deus me disse que não fazia sentido falar com ela sobre fazer alguma coisa, enquanto ela não tivesse feito a última coisa que Ele lhe havia dito para fazer, e que ela ainda não havia feito.

No plano de Deus para nós, não podemos omitir os passos de que não gostamos e seguir em frente para realizar os outros. Não podemos omitir os passos difíceis ou aqueles que exigem sacrifício. Repito: seguir o plano de Deus para as nossas vidas requer investimento.

Precisamos sacrificar a nossa *vontade própria* para alcançar a *vontade de Deus*; precisamos sacrificar o *nosso caminho* para encontrar o *caminho de Deus*. Não tenha medo do sacrifício; ele finalmente nos liberta para sermos tudo o que desejamos ser.

QUESTÕES PARA REFLETIR

1. O que significa confiar em Deus?

2. Você confia em Deus em todas as situações? Você está confiando nele agora, nas suas circunstâncias atuais? Existem áreas nas quais você precisa confiar mais nele? Quais são?

3. O que você faz para confiar mais em Deus? Que versículos você pode usar para fazer isso?

4. Cite um pequeno passo que Deus o dirigiu a dar recentemente. Você está resistindo por que Ele não lhe contou todo o plano?

5. Como a ação libera a fé? Você já teve essa experiência em sua vida?

6. Existe alguma coisa em sua vida atualmente que você precisa investir para progredir mais? Existe algum sacrifício que você precisa fazer para descobrir o caminho de Deus?

7. O que você acha que Deus o está conduzindo a fazer em resposta a este capítulo?

Deus Abre e Fecha Portas de Oportunidade

Todos nós precisamos ouvir a voz de Deus a cada dia, sobre muitas questões diferentes, mas há tempos críticos em nossas vidas em que precisamos saber especialmente que estamos ouvindo claramente a Sua voz. Deus quer falar conosco, mas precisamos tomar cuidado para não desenvolvermos uma mentalidade fechada sobre *como* Ele tem de falar conosco. Como mencionei anteriormente neste livro, Deus tem muitas maneiras pelas quais Ele pode escolher falar, mas seja qual for a forma que escolher, Ele promete dirigir os nossos caminhos.

Nem sempre é fácil saber se estamos ouvindo a voz de Deus ou se estamos ouvindo o nosso próprio raciocínio emocional. Algumas pessoas dizem que levaram anos para aprender a ouvir a Deus, mas creio que isto aconteceu porque não houve um ensino claro sobre o modo como Ele se comunica com o Seu povo. Deus quer que saibamos que Ele está disposto a nos conduzir e a nos guiar como um bom pastor conduz o seu rebanho. Ele falará diretamente aos nossos corações, mas se formos surdos à Sua voz, Ele encontrará outras maneiras de nos guiar.

Às vezes Deus fala abrindo ou fechando uma porta para algo que queremos fazer. Paulo e Silas tentaram ir para a Bitínia para pregarem o evangelho e ministrarem ao povo dali, mas o Espírito de Jesus os impediu (ver Atos 16:6-7). Não sabemos exatamente como isso aconteceu; é possível que eles simplesmente tenham perdido a paz a respeito. Sinto que eles realmente tentaram entrar naquela província da Ásia Menor, e que Deus de alguma forma os impediu de fazer isso.

Dave e eu sabemos por experiência própria que Deus pode abrir portas de oportunidade que ninguém pode fechar, e que Ele também pode fechar portas que nós simplesmente não podemos abrir. Oro para que Deus só abra as portas através das quais Ele quer que eu passe. Posso achar sinceramente que é certo fazer alguma coisa, quando posso estar errada; portanto, dependo de Deus para fechar as portas através das quais estou tentando passar se eu estiver cometendo um erro: "O coração do homem traça o seu caminho, mas o Senhor lhe dirige os passos" (Provérbios 16:9).

Passei muitos anos da minha vida tentando organizar as coisas que eu queria fazer. O resultado foi frustração e decepção. Hoje, sei depender de Deus para abrir as portas que estejam de acordo com o Seu plano perfeito. Deus nos dará o Seu favor e facilitará as coisas para nós quando buscarmos a Sua vontade e o Seu tempo perfeito.

Escrevendo à igreja da Filadélfia, o apóstolo João, inspirado pelo Espírito Santo, disse: "...Estas são as palavras daquele que é santo e verdadeiro, que tem a chave de Davi. O que ele abre ninguém pode fechar, e o que ele fecha ninguém pode abrir" (Apocalipse 3:7).

Às vezes, a única maneira de descobrir a vontade de Deus é praticando o que chamo de "agir e descobrir". Se já orei a respeito de uma situação e não sei o que devo fazer, dou um passo de fé. Deus me mostrou que confiar nele é como ficar diante da porta automática de um supermercado. Podemos ficar parados e olhar para a porta o dia inteiro, mas ela não abrirá até darmos um passo à frente e dispararmos o mecanismo que abre a porta.

Há momentos na vida em que precisamos dar um passo à frente para descobrirmos, de um modo ou de outro, o que devemos fazer. Algumas portas nunca se abrirão se não dermos um passo em direção a elas. Outras vezes, precisamos dar um passo para descobrir que Deus não abrirá a porta. Se confiamos que Ele nos dirigirá, e a porta se abrir facilmente, podemos confiar que Ele está nos direcionando a entrarmos na oportunidade que está diante de nós. Em 1 Coríntios 16:9, Paulo afirmou que Deus havia aberto uma grande porta de oportunidade para ele e seus companheiros. Ele também mencionou que havia muitos adversários, de modo que não devemos confundir oposição com uma porta fechada.

Paulo e seus companheiros Silas e Barnabé não ficaram sentados, esperando que um anjo aparecesse, ou esperando receber uma visão, enquanto oravam pedindo direção. Eles deram passos na direção que achavam que era correta. Muitas vezes Deus abria a porta, mas houve vezes em que Ele fechava a porta. Isto não os desanimou. Eles não tinham medo de "errar com Deus". Eram homens de fé e ação. Eles também sabiam recuar rapidamente quando ficava evidente que Deus não estava permitindo que eles seguissem o seu próprio plano.

TESTE SUAS OPÇÕES

As pessoas geralmente perguntam: "Como posso descobrir qual é o meu ministério?" Algumas passam muitos anos imóveis, esperando ouvir uma voz ou receber uma direção sobrenatural. Digo a elas para agirem e descobrirem, como mencionei anteriormente. Nos primeiros anos de minha caminhada com Deus, eu queria servir a Ele. Sentia que Ele tinha um chamado para a minha vida, mas não sabia exatamente o que fazer. Como era uma pessoa do tipo ousado, comecei a experimentar diferentes tipos de serviço.

Algumas portas nunca se abrirão se não dermos um passo em direção a elas.

Por exemplo, trabalhei no berçário da igreja e logo descobrir que *não* fui chamada para o ministério com crianças. Envolvi-me no ministério nas ruas, e embora por algum tempo eu tenha feito isto com fidelidade, não tinha graça verdadeira em mim para esse trabalho, então descobri que não havia sido chamada para o ministério nas ruas. Entretanto, fui vivificada em meu interior quando tive uma oportunidade de compartilhar a Palavra com pessoas de qualquer nível. Encontrei alegria em ensinar, e era óbvio que eu era boa nisso.

Deus dá a cada um de nós dons para ministrarmos aos outros. Não creio que Ele nos chame para fazer coisas que detestamos ou que sejam um fardo para nós. Isto não significa que Deus não pedirá que façamos coisas que não queremos fazer particularmente, mas Deus nos dará graça para fazer isso quando nos levantarmos para tentar.

Não passe a sua vida com tanto medo de cometer um erro a ponto de nunca fazer nada. Lembre-se, *você não pode dirigir um carro estacionado*. Você precisa estar se movendo se quer que Deus lhe mostre o caminho a seguir. Ele conduz você um passo de cada vez; se você der um passo à frente, e estiver indo na direção errada, Ele lhe dirá antes que você vá muito longe. Aja e descubra quais portas Deus abrirá e quais portas que Ele fechará.

Há momentos em que é melhor fazer *alguma coisa*, em vez de continuar sem fazer nada. A fé age, mesmo quando está insegura; sem fé é impossível agradar a Deus. O exemplo de Paulo e Silas tentando ir para Bitínia e sendo impedidos pelo Espírito mudou a minha vida. Usando este exemplo bíblico, eu já não tinha mais medo de dar qualquer passo. Sabia que podia confiar em Deus para me impedir de ir para os lugares que não eram o plano Dele para mim.

Um missionário que conheço foi procurar um homem sábio para pedir conselhos sobre o que deveria fazer. Ele explicou que sabia que tinha um chamado para o campo missionário, mas não sabia para onde ir. Deveria ir para a Índia, a África ou o México? Ele mencionou que às vezes orava e via rostos negros. Outras vezes ele via rostos vermelhos ou amarelos. Ele estava esperando que Deus lhe desse uma direção, mas estava esperando há muito, muito tempo.

O sábio disse: "Bem, irmão, faça alguma coisa, para não ficar sem fazer nada". Creio que este foi um conselho sábio. Ele motivou o homem a agir e descobrir onde ele tinha graça para servir, o lugar que o enchia de paz. Quando há um chamado sobre nossas vidas para ministrarmos ao resto do corpo, não temos paz quando ficamos parados.

Não quero enganá-lo. Há vezes em que devemos esperar em Deus, orar, e não agir imediatamente. Mas também há vezes em que a única maneira de descobrirmos a vontade de Deus é dando um passo de fé. A princípio, eu dava passinhos de bebê, e descobri que pequenos passos não geram grandes problemas se estivermos errados.

DEUS ABRE E FECHA PORTAS DE OPORTUNIDADE

Podemos testar as águas. Assim como colocamos o nosso dedão do pé na piscina para ver se a água está fria ou morna, podemos dar um pequeno passo à frente, na direção do que achamos que Deus quer que façamos, e ver se o caminho está morno e convidativo ou frio e desagradável. Eu o encorajo a dar um passo; se Deus abrir a porta, dê outro passo. Se Ele fechar a porta, recue, tente outra direção, ou espere um pouco. Ore sempre e dê um passo outra vez.

Quando Dave e eu sentimos que Deus estava nos chamando para iniciar um ministério na televisão, começamos a dar passos. Não podíamos fazer isso sem dinheiro, então a primeira coisa que fizemos foi escrever para as pessoas da nossa lista de correio pedindo aos amigos e parceiros de nosso ministério que contribuíssem financeiramente, a fim de nos ajudarem a iniciar um ministério na televisão. Sentimos que Deus havia colocado uma certa quantia de dinheiro em nosso coração da qual precisaríamos para começar, e foi exatamente essa a quantia que entrou.

A única maneira de descobrirmos a vontade de Deus é dando um passo de fé.

Demos outro passo. Contratamos um produtor, que Deus também teria de fornecer. Um homem candidatou-se ao emprego como produtor de televisão três meses antes de Deus falar conosco. Havíamos dito a ele que não tínhamos um ministério na televisão e que não poderíamos usar os serviços dele. Nós nos lembramos do homem e percebemos que Deus havia nos suprido antes mesmo que soubéssemos que tínhamos uma necessidade.

O que fizemos em seguida foi comprar espaços em alguns canais, com transmissões uma vez por semana. À medida que esse compromisso ia sendo pago, e víamos bons frutos, adquiríamos mais espaços. Finalmente, passamos a estar na televisão diariamente, e agora temos um programa diário em nível mundial que felizmente está ajudando milhões de pessoas.

Iniciamos dando passinhos de bebê. Embora não vivamos segundo as circunstâncias, não é errado ver se Deus está mostrando o Seu favor em certas circunstâncias para nos conduzir por um determinado caminho.

OS CAMINHOS DE DEUS NÃO SÃO OS NOSSOS CAMINHOS

Há certas coisas que Deus precisa fazer para que as coisas funcionem para nós. Podemos ser capazes de cuidar de algumas coisas, mas não de todas. Por exemplo, Dave e eu não podíamos produzir um programa de televisão e começar a transmiti-lo sem dinheiro. Não tínhamos como conseguir dinheiro por nós mesmos, então Deus teve de provê-lo. Se tivéssemos escrito aos nossos amigos e parceiros e não tivéssemos recebido o dinheiro, não poderíamos ter dado outro passo. Esta era uma circunstância na qual Deus precisava estar envolvido.

Geralmente ensinamos as pessoas a não prestarem atenção às suas circunstâncias, e este ensinamento tem valor. Andamos por fé, e não por vista ou por sentimentos (ver 2 Coríntios 5:7). No entanto, há certas coisas que Deus precisa fazer para que possamos cumprir o nosso chamado.

Suponhamos que uma mulher ore e sinta que deveria trabalhar para ajudar nas despesas da família. Ela decide conseguir um emprego, mas tem dois filhos pequenos. Se não conseguir encontrar uma babá, ela não pode trabalhar. Esta é uma circunstância da qual Deus precisa cuidar para que ela possa seguir em frente. Se eu estivesse passando por essa situação e não conseguisse encontrar alguém para cuidar de meus filhos, duvidaria que trabalhar fosse a resposta de Deus para aquele momento da minha vida.

Em 1977, Deus me disse para parar de trabalhar e me preparar para o ministério para o qual eu achava que ele estava me chamando. Naquela época, sabia que queria ensinar a Palavra de Deus em todo o mundo, mas Deus sabia que eu precisava ser preparada passando um tempo a sós com Ele. Eu ganhava bem em meu emprego e desfrutava de muitos benefícios. Queria obedecer a Deus, mas tinha medo de que não tivéssemos dinheiro suficiente. Finalmente, deixei meu emprego em tempo integral e consegui um emprego de meio-expediente.

Deus não havia me dito para conseguir um emprego de meio-expediente. Ele havia me dito para parar de trabalhar e confiar nele para me dar a provisão. Já estavam faltando quarenta dólares todo mês para o pagamento das nossas contas. Se eu não trabalhasse, não teríamos dinheiro suficiente para as despesas extras como conserto do carro, roupas ou necessidades inesperadas.

Então, passei a dividir o trabalho com outra mulher; em uma semana, eu trabalhava dois dias, e na semana seguinte, eu trabalhava três dias. Pensei que esta solução me deixasse tempo suficiente para me preparar para o ministério, mas não percebia que a parte principal do preparo era aprender a depender inteiramente de Deus e ser liberta da minha natureza independente. Eu era boa em cuidar das minhas próprias necessidades e em suprir a mim mesma, mas tinha de aprender um novo modo de vida.

As coisas não iam nada bem nesse novo emprego. Quando eu tocava em algum equipamento, ele quebrava. Sentia-me desconfortável e rejeitada pelos outros trabalhadores. Então, coisas estranhas começaram a acontecer. Um dia, percebi que a gerente do escritório estava copiando páginas de um livro e perguntei sobre o que era. Ela disse: "É o meu livro sobre feitiçaria".

Meus joelhos ficaram fracos quando percebi a situação em que havia me metido. Pensei: *Deus me colocou aqui para ajudar esta mulher*, então tentei falar com ela sobre o caminho errado que ela estava trilhando. Pude ver realmente uma manifestação demoníaca no rosto da mulher. Sua pele ficou com uma cor amarela muito feia, e de repente ela adquiriu uma expressão maligna. Daquele dia em diante, a situação só piorou. Eu trabalhava em uma máquina de contabilidade que quebrava constantemente, mas ninguém conseguia descobrir nada de errado com ela. Ela funcionava com as outras pessoas, mas não comigo.

Um dia, a gerente do escritório me procurou e me disse: "Joyce, você está despedida!". Eu não era o tipo de pessoa que era despedida. Sempre fui conhecida como uma boa funcionária e uma empregada dedicada. Creio que é seguro dizer que Deus fechou aquela porta. Eu havia desobedecido a Ele pegando um emprego de meio-expediente. Deus não está interessado em obediência de meio-expediente. Como eu estava em desobediência, Satanás conseguiu me conduzir para o que pretendia ser uma armadilha para a minha vida e possivelmente o fim do meu ministério, antes mesmo que eu pudesse ver o início dele.

Ser despedida era uma circunstância que eu não podia ignorar! Deus trabalhou através daquela circunstância para que eu soubesse, sem sombra de dúvida, que Ele não queria que eu trabalhasse em nada, a não ser na tarefa de me preparar para o ministério.

Deus provou a Sua fidelidade a mim e a Dave nos suprindo de forma sobrenatural mês após mês, durante seis anos. Durante esses primeiros anos de preparação e estudos bíblicos nos lares, tínhamos necessidades financeiras contínuas, mas vimos a fidelidade de Deus em primeira mão. Lembro-me de precisar de sapatos para meus filhos e de encontrar tênis novos em uma liquidação de garagem por vinte e cinco centavos. Eu precisava de panos de prato novos, e uma amiga bateu à minha porta dizendo: "Espero que você não pense que fiquei maluca, mas senti que Deus me disse para lhe trazer uma dúzia de panos de prato". Aqueles anos foram difíceis, mas maravilhosos, porque aprendemos a confiar em Deus!

Deus não está interessado em obediência de meio-expediente.

Não estou sugerindo que devemos seguir apenas as circunstâncias. Também devemos levar em consideração a paz e a sabedoria, que são as principais formas de ouvir a voz de Deus. Em outras palavras, quando fui despedida de meu emprego de meio-expediente, eu poderia ter saído à procura de um novo emprego, mas não sentia paz sobre isso. Estou certa de que tampouco sentia paz na primeira vez, mas ignorei o fato porque não estava pronta para depender totalmente de Deus.

Seguir apenas as circunstâncias pode definitivamente nos levar a ter problemas reais. Satanás pode promover circunstâncias, assim como Deus, porque ele tem acesso a esta esfera natural. Portanto, se seguirmos somente as circunstâncias sem levarmos em consideração as outras formas de ouvir a Deus, isto pode nos levar ao engano.

Sabemos que não podemos ir contra a Palavra de Deus. Devemos ser guiados pela paz e andar em sabedoria. É fácil fazer uma "verificação interna" para testarmos o termômetro da paz em nosso coração, antes de confiarmos nas circunstâncias que nos cercam, como uma das maneiras como Deus fala conosco.

A maneira mais segura de ouvirmos a Deus é combinar os métodos bíblicos e sermos guiados pelo Espírito, permitindo que eles funcionem como uma forma de verificação entre si. Uma mulher pode desejar estar com um homem casado no trabalho porque ela sente uma forte atração por ele. Ela pode até pensar que é a vontade de Deus que eles fiquem juntos. Mas naturalmente o que ela pensa está errado, porque a Palavra de Deus claramente condena o adultério ou até o desejo no coração por alguém casado. Cobiçar o que pertence a outra pessoa é errado, de acordo com a Palavra de Deus.

Devemos agradecer a Deus porque os caminhos Dele não são os nossos caminhos.

Satanás pode preparar circunstâncias que coloquem continuamente esta mulher junto ao homem por quem ela está atraída, e ela começa a pensar erroneamente que Deus os está unindo. Afinal, o homem compartilhou com ela que está tendo problemas com sua mulher em casa.

O desejo desenfreado (a luxúria) pode facilmente enganar as pessoas. Se essa mulher for guiada apenas pelas circunstâncias, ela poderá facilmente arruinar sua vida. Contudo, se comparar as circunstâncias com a Palavra de Deus, saberá como desconsiderar as circunstâncias.

Nosso filho mais velho, David, que administra o nosso Departamento de Missões Mundiais, recentemente me procurou pedindo conselhos sobre quem contratar para ocupar uma vaga de emprego disponível em seu setor. Ele sentia que Deus queria que ele oferecesse o emprego a alguém que não seria escolhido de forma natural. David tentou preencher a vaga com diversas pessoas aparentemente qualificadas, apenas para ver cada uma delas recusar a posição. Ele disse: "*Parece* que Deus quer a pessoa que eu não escolheria".

Deus disse na Sua Palavra: "'Pois os meus pensamentos não são os pensamentos de vocês, nem os seus caminhos são os meus caminhos', declara o Senhor" (Isaías 55:8). A pessoa que Deus colocou no coração de David era a única que estava genuinamente interessada no emprego. Sabíamos que este era outro exemplo da mão de Deus nos ajudando a ouvir a Sua voz através de portas abertas e fechadas. Deus nem sempre dá um trabalho ou uma tarefa à pessoa mais qualificada. Muitas vezes a atitude do coração de uma pessoa é mais importante do que a sua experiência ou as suas credenciais, principalmente em posições ministeriais.

Devíamos agradecer a Deus porque os Seus caminhos não são os nossos caminhos. Minha vida teria acabado mal se Deus tivesse feito as coisas do meu jeito em muitas situações. É sábio orarmos: "Seja feita a Tua vontade, Senhor, e não a minha". Muitas vezes digo ao Senhor o que eu gostaria de ter, mas completo a frase com "No entanto, se Tu sabes que isto não é bom para mim, por favor, não me dês".

Os pensamentos de Deus estão acima dos nossos pensamentos. Ele vê o fim a partir do princípio. Todos os Seus caminhos são retos e seguros. Na esfera natural, podemos achar que alguma coisa faz sentido, mas pode não ser o que Deus quer, definitivamente. Você e eu podemos ouvir com precisão a voz de Deus; tudo que precisamos fazer é aplicar as diretrizes da Sua Palavra, e assim não seremos enganados.

QUESTÕES PARA REFLETIR

1. Com relação a que assunto você quer ouvir a voz de Deus? Seja específico.

2. Você já tentou dar um passo de fé e Deus fechou a porta? Descreva sua experiência. Essa experiência o encorajou a dar passos de fé com mais frequência, sabendo que Deus corrigirá os seus passos à medida que você confiar nele? Esta experiência desanimou você de algum modo?

3. Você tem o hábito de testar as suas opções regularmente? Descreva uma experiência onde você tenha feito isto.

4. Existe alguma área da sua vida na qual você esteja obedecendo em "meio-expediente"? O que o está impedindo de obedecer em tempo integral? Ore para que Deus lhe dê força para fazer esse ajuste.

5. Deus está falando com você através das circunstâncias atuais? Em caso positivo, o que Ele está lhe dizendo?

6. Em que áreas você está pedindo algo a Deus, mas ainda precisa confirmar se os pensamentos e os caminhos Dele são os seus pensamentos e os seus caminhos? Todas as áreas da sua vida estão submissas ao senhorio de Cristo?

7. Se achamos que Deus não está sendo razoável, isso nos dá o direito de desobedecer ao que Ele disse? Como você lida com a aparente falta de coerência de Deus?

8. O que você acredita que Deus o está direcionando a fazer como resposta a este capítulo?

Impedimentos para Ouvirmos a Voz de Deus

Algumas pessoas já me disseram: "Deus simplesmente nunca fala comigo". Mas estou convencida de que é mais provável que elas nunca prestem atenção, ou que tenham tornado-se insensíveis à voz de Deus. Deus faz muitas tentativas de falar conosco, através da Sua Palavra, de sinais naturais, de revelação sobrenatural e de confirmação interna, todas estas formas que mencionamos nos capítulos anteriores. Mas existem alguns obstáculos que nos impedem de ouvir a Sua voz e que talvez precisem ser retirados do nosso coração.

Uma forma de deixarmos de ouvir a voz de Deus é estando ocupados demais, como mencionei. Ficamos tão ocupados que não temos tempo de ouvir a Deus. Podemos ficar ocupados demais até mesmo com a atividade religiosa. Nos primeiros dias da minha caminhada com o Senhor, estava muito entusiasmada e ansiosa para servilo, então eu me candidatava a qualquer coisa que parecesse até mesmo remotamente interessante para mim. Como resultado de minhas tentativas, descobri rapidamente o que eu *não* havia sido ungida para fazer. É melhor tentar alguma coisa em vez de não fazer nada para sempre; pelo menos, pelo processo de eliminação podemos aprender o que Deus quer que façamos. Aprendemos a ver no que somos bons e no que não somos bons, o que gostamos e o que não gostamos.

Posso ficar diante de milhares de pessoas e ministrar a Palavra sem me sentir absolutamente desconfortável. Mas quando estava testando minhas opções para o ministério, rapidamente aprendi que eu não havia sido ungida para o ministério com crianças, e até as crianças concordariam com isso. Ficava extremamente desconfortável quando trabalhava no ministério nas ruas. Bater de porta em porta, ou me dirigir às pessoas na rua e tentar ministrar a elas não era confortável para mim.

Eu costumava me sentir mal com isso, pensando que era covarde ou que tinha medo do que as pessoas pensariam de mim, mas desde então aprendi que existem pessoas que receberam o dom e foram chamadas para fazer cada coisa. Conheço pessoas que são chamadas para o ministério nas ruas, e elas ficam tão confortáveis fazendo isto quanto eu fico fazendo o que Deus me chamou para fazer.

Aqueles dias em que experimentei caminhos diferentes para servir a Deus foram dias bons em alguns aspectos, porque eu realmente comecei a descobrir onde estava a minha unção. Quando ensinava o estudo bíblico, sentia que era algo que eu amava. Era algo que me entusiasmava. Eu via bons frutos. Não parecia trabalho, de modo algum. Mas quando eu fazia outras coisas que não havia sido ungida para fazer, não me sentia assim.

Minha vida ocupada também era uma desvantagem, já que eu não dedicava tempo para realmente ser sensível à voz de Deus. O resultado era que muitas vezes eu desperdiçava um tempo frustrante com as "obras da carne". As obras da carne são as coisas que fazemos sem que o poder de Deus flua através de nós. Elas são difíceis, elas nos sugam, e geralmente não trazem alegria ou realização. Muitas vezes são coisas boas, mas não são coisas de Deus.

Lembro-me de uma vez me sentir muito orgulhosa e convencida por estar "trabalhando para Deus". Mas o Senhor disse: "Você está trabalhando *para* Mim, mas não passa nenhum tempo *comigo*". Este foi um pensamento sério que começou a me despertar para o que era realmente importante para Deus e o que não era. Ele queria a minha atenção, e não apenas as minhas obras.

As pessoas podem literalmente se desgastar realizando atividades religiosas enquanto se esforçam para servir a Deus debaixo da lei, em vez de buscarem um relacionamento íntimo de conversa com o

Senhor. Jesus disse que o Seu jugo é fácil de levar e que o Seu fardo é leve (ver Mateus 11:30). Qualquer pessoa que esteja se sentindo esgotada com o trabalho que está fazendo para Deus provavelmente está passando tempo demais servindo, e não está passando tempo suficiente sentada aos Seus pés para ouvir o que Ele quer dizer (ver Lucas 10:38-42).

Muitos cristãos ainda estão debaixo da lei do Antigo Testamento, e estão perdendo os benefícios da dispensação da graça do Novo Testamento. Fomos chamados a um relacionamento, e não a uma atividade religiosa sem relacionamento.

AS IDÉIAS RELIGIOSAS NOS IMPEDEM
DE OUVIR A VOZ DE DEUS

Creio que a atividade religiosa pode nos impedir de ouvir a voz de Deus. Deixe-me explicar o que quero dizer com "religiosa". É um termo amplamente utilizado atualmente, e talvez eu fosse considerada rude se não explicasse o que ele significa para mim. As pessoas religiosas frequentemente são aquelas que seguem fórmulas e fazem boas obras para merecer o favor de Deus, mas que não têm um relaciona-

Ele queria a minha atenção, e não apenas as minhas obras.

mento pessoal íntimo com Ele. Deus não inicia obras religiosas; elas são feitas para Deus e geralmente sem Deus.

Jesus não morreu para que pudéssemos ter religião; Ele morreu para que pudéssemos ser um com Deus através Dele, para que pudéssemos ter um relacionamento pessoal íntimo com o Deus Triúno: Pai, Filho e Espírito Santo.

Na verdade, Jesus ficou muito irritado com as pessoas religiosas do seu tempo. Ele disse que elas eram "sepulcros caiados cheios de ossos e de todo tipo de imundície" (ver Mateus 23:27). Seguiam regras e regulamentos e faziam leis para os outros seguirem, mas elas mesmas não se ocupavam com as questões mais importantes, tais como realmente ajudar as pessoas com a motivação correta.

170

COMO OUVIR A VOZ DE DEUS

A seguinte passagem em Mateus 23:23-28 nos mostra como Jesus se sentia com relação à atividade religiosa. Ele disse:

> Ai de vocês, mestres da lei e fariseus, hipócritas! Vocês dão o dízimo da hortelã, do endro e do cominho, mas têm negligenciado os preceitos mais importantes da lei: a justiça, a misericórdia e a fidelidade. Vocês devem praticar estas coisas, sem omitir aquelas. Guias cegos! Vocês coam um mosquito e engolem um camelo. Ai de vocês, mestres da lei e fariseus, hipócritas! Vocês limpam o exterior do copo e do prato, mas por dentro eles estão cheios de ganância e cobiça. Fariseu cego! Limpe primeiro o interior do copo e do prato, para que o exterior também fique limpo. Ai de vocês, mestres da lei e fariseus, hipócritas! Vocês são como sepulcros caiados: bonitos por fora, mas por dentro estão cheios de ossos e de todo tipo de imundície. Assim são vocês: por fora parecem justos ao povo, mas por dentro estão cheios de hipocrisia e maldade.

Os escribas e fariseus eram as pessoas mais religiosas daquele tempo, mas eles não agradavam a Deus. Deus sempre esteve mais interessado no estado do coração das pessoas do que nas obras de suas mãos.

As pessoas religiosas estabelecem regras para demonstrar o que acreditam ser um sinal de santidade. Elas tentam fazer com que as outras pessoas sigam essas regras. São pessoas legalistas e rígidas, que não percebem que a santidade é o resultado de um coração transformado por um relacionamento individual com Deus.

Se não formos sensíveis à misericórdia de Deus, e se não formos misericordiosos com os outros, perderemos a nossa sensibilidade à Sua voz. As pessoas legalistas têm uma só maneira de fazer as coisas. Elas acreditam que qualquer um que não viva do jeito delas está errado.

Jesus sente empatia por pessoas que foram abusadas pela lei religiosa e que foram oprimidas por esse tipo de liderança. Ele quer ver as pessoas curadas e restauradas para que possam saber que Deus é bom, que Ele é cheio de misericórdia e paciência, que é tardio em se irar, e pronto a perdoar. Deus nos dá liberalmente a Sua graça, que é o Seu poder para nos ajudar a fazer o que não podemos fazer por nós mesmos. Quando Ele nos diz para fazermos alguma coisa, não nos deixa sem capacitação, mas nos dá o que precisamos para executar a Sua ordem.

Quando Jesus disse: "Vinde a Mim, todos os que estais cansados e sobrecarregados" (Mateus 11:28, ARA), Ele estava falando com pessoas que estavam sofrendo um esgotamento espiritual. Ele quer confortar aqueles que estão desgastados por tentarem servir e que estão se sentindo fracassados. Há milhares e milhares de pessoas na igreja hoje que estão neste estado, sofrendo de excesso de trabalho e desnutrição espiritual. As pessoas querem ter um relacionamento poderoso com Deus e fazer tudo que a suposta religião lhes disse para fazer, e, no entanto, continuam se sentindo vazias.

Em seu desejo de agradar a Deus, elas substituíram a *busca* por Deus pelo *trabalho* para Deus. Deus quer que façamos trabalhos para o reino, que são as coisas que Ele nos *dirige* a fazer; mas Ele não quer que estejamos ocupados com atividades religiosas, pensando que Ele se agrada com os sacrifícios que não pediu que fizéssemos. Como as pessoas podem fazer as obras de Deus se elas não dedicam tempo para ouvi-lo dizer o devem fazer?

Se não formos sensíveis à misericórdia de Deus, perderemos a nossa sensibilidade à voz de Deus.

A Bíblia diz que precisamos nascer de novo (ver João 3:1-8) — ela não diz que precisamos ser religiosos. Precisamos deixar Jesus entrar em nossas vidas e se sentar no trono do nosso coração, para governar e reinar sobre cada passo que dermos. Quando nos diz para seguir em uma determinada direção, Ele também nos dá o poder de que precisamos para fazer o que Ele nos disse para fazer. Jesus nunca dirá: "Faça de qualquer jeito!" Ele sempre nos dá o poder para fazer o que quer que Ele nos ordene.

O maior impedimento a ouvirmos a voz de Deus é tentar alcançá-lo através das obras em vez de alcançá-lo através de um relacionamento pessoal com Ele, nascendo de novo e tendo comunhão com Ele regularmente. As pessoas podem ir à igreja durante anos e fazer coisas religiosas durante toda a vida, sem nunca conhecerem Jesus como seu Senhor.

É assustador perceber que provavelmente existam milhares de pessoas sentadas nas igrejas a cada semana que não irão para o céu. Como sempre digo: "Estar sentado na igreja não faz da pessoa um cristão, assim como estar sentado em uma garagem não faz dela um carro".

Em Mateus 7:20-23, a Bíblia declara que existem pessoas que dirão no dia do julgamento: "'Senhor, Senhor! Fizemos muitas obras poderosas em Teu nome'. E Ele lhes dirá: 'Nunca vos conheci. Apartai-vos de Mim, os que praticais a iniquidade [desconsiderando os meus mandamentos]'" (v. 23, AMP). As pessoas podem estar fazendo boas obras e ainda assim desconsiderando os mandamentos de Deus, se elas não estiverem passando tempo com Ele e ouvindo as Suas instruções.

Se você não tem certeza se nasceu de novo, se você nunca reconheceu Jesus como o Senhor da sua vida, se você deseja ter um relacionamento íntimo com Ele para que possa ouvir a Sua voz, comece uma nova vida simplesmente fazendo esta oração com sinceridade:

Pai do céu,

Tu amaste o mundo de tal maneira que deste o Teu único Filho para morrer pelos nossos pecados, para que todo aquele que crer nele não pereça, mas tenha a vida eterna. A Tua Palavra diz que somos salvos pela graça através da fé, como um dom que vem de Ti. Não há nada que possamos fazer para merecermos a salvação.

Eu creio e confesso com minha boca que Jesus Cristo é o Teu Filho e o Salvador do mundo. Creio que Ele morreu na cruz por mim, levando todos os meus pecados e pagando o preço por eles. Creio em meu coração que Tu ressuscitaste Jesus dentre os mortos.

Peço-te que perdoes os meus pecados, e confesso Jesus como meu Senhor. Segundo a Tua Palavra, sou salvo e passarei a eternidade contigo! Enche-me com o Teu Espírito Santo para que Ele viva em mim e me guie nos Teus caminhos. Dá-me ouvidos para ouvir a Tua voz, para que eu possa te seguir deste dia em diante. Obrigado, Pai. Sou tão agradecido! Em nome de Jesus é que eu oro. Amém.

Se esta foi a primeira vez que você fez esta oração, eu o encorajo a ler os seguintes versículos das Escrituras para confirmar em seu coração este novo relacionamento íntimo com Deus que você tem agora: João 3:16; Efésios 2:8-9; Romanos 10:9-10; 1 Coríntios 15:3-4; 1 João 1:9; 4:14-16; 5:1; 12, 13.

Deus lhe dará o poder e a força de que você precisa para servir a Ele em justiça e santidade. Jesus não é um patrão duro. Ele disse na Sua Palavra:

> Vinde a Mim, todos os que estais cansados e sobrecarregados, e Eu vos aliviarei [darei refrigérios às vossas almas]. Tomai sobre vós o Meu jugo e aprendei de Mim, porque Sou manso e humilde de coração; e achareis descanso (alívio, relaxamento, refrigério, recreação e tranquilidade abençoada) para a vossa alma. Porque o Meu jugo é suave (útil, bom – não é duro, árduo, áspero ou opressivo, mas confortável, gracioso e agradável), e o Meu fardo é leve (e fácil de levar) (Mateus 11:28-30, AMP).

Jesus estava dizendo: "Eu Sou bom, e o Meu sistema é bom – não é duro, árduo, áspero nem opressivo". As normas e regulamentos religiosos podem ser duros, árduos, ásperos e opressivos. Você pode ficar facilmente sobrecarregado se não souber fazer tudo que acha que esperam de você. Mas Jesus está dizendo a você aqui: "Eu não Sou assim. O Meu sistema não é assim, Ele não é duro, árduo, áspero, e opressivo, mas é confortável, gracioso e agradável".

A religião nos diz o que fazer, mas ela não nos diz como fazer. Se Deus não tivesse me dado o poder para dirigir um ministério como o Life In the Word *(Vida na Palavra)*, eu estaria *sobrecarregada*. Mas fazer isso não é difícil para mim. Sinto-me confortável fazendo o que Deus me equipou para fazer. Eu não estaria equipada com nenhum poder para fazer isso se estivesse tentando servir a Deus por causa de alguma convicção religiosa, simplesmente fazendo obras sem ouvir a voz Dele.

As regras nos deixam sozinhos com nós mesmos e fazem com que nos sintamos culpados quando não conseguimos cumprir com as expectativas que as pessoas têm a nosso respeito. Mas quando realizamos boas obras por causa de uma direção pessoal da parte de Deus, estamos sendo motivados e recebendo o poder para servir a Ele.

Se alguém nos perguntar: "Qual é a sua religião?", devemos falar com essa pessoa sobre o nosso relacionamento pessoal com Jesus, em vez de dizer qual a igreja específica que frequentamos.

Gosto de responder a esta pergunta com a frase: "Obrigada por perguntar; não tenho nenhuma religião, mas tenho Jesus". Precisamos nos acostumar a perguntar às pessoas: "Você conhece Jesus? Ele é seu Amigo? Você tem um relacionamento pessoal com Ele?".

A religião nos diz o que fazer, mas ela não nos diz como fazer.

Jesus nos conduz a um lugar confortável, gracioso e agradável. Creio que é fácil servir a Deus se aprendermos a ouvir *a voz* Dele antes de nos esforçarmos para fazer coisas *para* Ele, que Ele nunca nos pediu para fazer.

Antes de começar a se ocupar fazendo boas obras, dedique tempo e busque a Deus para saber se elas são as obras Dele, se Ele está direcionando você a realizá-las, ou se você está simplesmente fazendo coisas em um esforço por agradá-lo. Se você descobrir que está envolvido em obras da carne e que não existe nenhuma unção real de Deus sobre você para realizá-las, não tenha medo de renunciar a elas e de buscar a Deus com relação à Sua vontade para a sua vida.

A DUREZA DE CORAÇÃO NOS IMPEDE
DE OUVIR A VOZ DE DEUS

Como vimos, em Sua Palavra Deus diz sobre o Seu povo: "Darei a eles um coração não dividido e porei um novo espírito dentro deles; retirarei deles o coração de pedra e lhes darei um coração de carne" (Ezequiel 11:19).

Quando entregamos nossas vidas a Deus, Ele coloca um senso de certo e errado bem no fundo da nossa consciência. Mas se nos rebelarmos contra a nossa consciência muitas vezes, o nosso coração pode ficar endurecido. Se isto acontecer, precisamos deixar que Deus quebrante o nosso coração para que possamos ser espiritualmente sensíveis à liderança do Espírito Santo.

Eu tinha o coração muito endurecido antes de começar a realmente ter comunhão com Deus. Estar na presença de Deus regularmente criou em mim um novo coração, que Jesus morreu para que eu tivesse. Sem ter um coração sensível ao toque de Deus, não reconheceremos as muitas das vezes em que Ele está falando conosco. Ele fala suavemente, com uma voz mansa e suave, ou com uma convicção calma sobre um assunto.

As pessoas que têm o coração endurecido e que estão ocupadas "cuidando de si mesmas" não serão sensíveis à voz de Deus. Sou grata por Ele ter quebrantado meu coração com a Sua Palavra, porque um coração endurecido não pode receber as bênçãos que Ele quer dar.

Talvez você não se enquadre entre as pessoas que têm o coração endurecido, mas é possível que você tenha de lidar com pessoas que têm o coração endurecido e precisa saber como orar por elas. Como mencionei, oro para que minha consciência permaneça sensível ao Senhor. Antes de começar a ouvir Deus me direcionar, Deus precisava tratar comigo insistentemente se eu tivesse tratado alguém mal, até que eu admitisse que meu comportamento estava errado.

Não sou mais assim; Deus me transformou, porque Ele está envolvido no negócio de transformar pessoas. Agora, quando minha consciência me convence a pedir perdão a alguém, ajo rapidamente para consertar as coisas.

Meu filho mais velho também tinha o coração endurecido, e pude observar Deus transformando-o. Agora ele tem o coração tão quebrantado que gosta de ministrar a pessoas que sofrem. Se ele diz ou faz alguma coisa que sente que pode ferir os sentimentos de alguém, ele mal consegue esperar para voltar e pedir perdão.

Quando falamos sobre aprender a ouvir a voz de Deus, não queremos dizer simplesmente ouvir Deus nos dizer o que fazer; muitas vezes Ele nos diz o que *não* fazer. Em outras palavras, se estamos fazendo alguma coisa ou nos comportando de certa maneira que não agrada a Deus, precisamos discernir que Ele não está satisfeito conosco e devemos estar dispostos a consertar as coisas.

Deus transforma as pessoas. Esta é uma promessa garantida pela Sua Palavra. Ele diz: "Tirarei da sua carne o coração de pedra, endurecido de modo não natural, e lhes darei coração de carne, um coração sensível e que responde ao toque do Seu Deus" (ver Ezequiel 11:19).

Ter o coração endurecido gera muitos problemas. Por exemplo, Jesus disse que ele não era a favor do divórcio porque o divórcio é resultado da dureza de coração (ver Mateus 19:1-9). Também acredito que a maioria dos divórcios se deve à dureza de coração de alguém. Ou uma das partes tem o coração tão endurecido que não espera que Deus transforme seu cônjuge, ou uma das partes tem o coração tão endurecido que a outra parte simplesmente não consegue mais suportar.

Durante os primeiros anos de casamento, fui uma pessoa muito difícil de se conviver. Por ter sofrido abuso em minha infância, eu tinha o coração muito endurecido. Entretanto, Dave tinha um forte relacionamento com Deus e estava disposto a orar por mim e esperar que Deus me transformasse. Dave ouviu Deus dizer: "Ore e espere", e sou eternamente grata por ele ter feito isso.

Se ambos tivéssemos tido um coração endurecido, estou certa de que não estaríamos casados hoje. Há momentos em que o divórcio é a única resposta a uma situação, mas esta deve ser a exceção, e não a regra. Existem divórcios demais hoje em dia. Já ouvi dizer até que a taxa de divórcios é maior entre aqueles que se intitulam cristãos do que entre os que não o são — o que é triste. Como Seus filhos, Deus nos dá um coração novo — o Seu coração — e devemos aprender a ser mais misericordiosos e pacientes, assim como Ele é. Ele nos dá o Seu coração para que finalmente possamos aprender a representá-lo, fazendo o mesmo que Ele faria em uma determinada situação.

> *Como Seus filhos, Deus nos dá um novo coração — o Seu coração.*

As pessoas que têm o coração endurecido quebram casamentos e amizades depressa demais, e assim, são incapazes de se beneficiarem com as riquezas do propósito e do plano de Deus para suas vidas.

IMPEDIMENTOS PARA OUVIRMOS A VOZ DE DEUS

Imagine só o que Dave e eu teríamos perdido caso ele tivesse desistido de mim naqueles primeiros anos. Por ele não ter feito isso, agora estamos ajudando milhares de pessoas em todo o mundo através das oportunidades ministeriais que Deus nos dá. Se não tivéssemos sido fiéis a Deus e um ao outro, teríamos perdido esta bênção, e Deus teria de escolher outras pessoas.

Deus nos pede que não endureçamos o nosso coração, indicando que fazer isso é uma escolha da nossa própria vontade:

Assim, pois, como diz o Espírito Santo: Hoje, se ouvirdes a Sua voz, *não endureçais o vosso coração* como foi [na rebelião de Israel], quando Me provocaram e Me amarguraram no dia da tentação no deserto (Hebreus 3:7-8, AMP).

Quando ouvimos a voz de Deus, podemos escolher responder com humildade e confiança, ou endurecer o nosso coração e ignorar a Sua voz. Infelizmente, quando as pessoas não conseguem o que querem, ou quando passam por testes e provações, muitas delas preferem endurecer o coração.

Foi exatamente isso que aconteceu aos israelitas quando eles estavam fazendo a jornada pelo deserto. Deus os conduziu ao deserto para provar o que faria por eles, e que eles podiam confiar nele (ver Deuteronômio 8:2-3). Ele tinha grandes coisas planejadas para eles, mas Ele os testou primeiro para ver se eles realmente acreditariam nele. É por isso que Ele nos diz para não endurecermos o nosso coração como eles.

Não permita que as provações o tornem amargo; deixe que elas o tornem melhor. Em Hebreus 3:9-11, o Senhor diz:

Os vossos pais provaram [a Minha paciência] e testaram [o Meu domínio próprio] e descobriram que eu passei no teste deles, e eles viram as Minhas obras por quarenta anos. Por isso, Me indignei contra essa geração e disse: Estes sempre erram no coração; eles também não perceberam nem reconheceram os Meus caminhos nem se tornaram progressivamente melhor e mais familiarizados com eles pela experiência e pela intimidade. Assim, jurei na Minha ira e indignação: Não entrarão no Meu descanso (AMP).

Muitos problemas afetaram os filhos de Israel porque eles tinham endurecido o seu coração. Eles não queriam aprender os caminhos de Deus, e assim não podiam melhorar progressivamente; consequentemente, eles não podiam entrar no descanso de Deus. Nos versículos 12 e 13, o escritor de Hebreus diz:

> [Portanto], tende cuidado, irmãos, jamais aconteça haver em qualquer de vós perverso coração de incredulidade [que se recuse a se apegar a Ele, a confiar nele e a depender Dele], levando-vos a vos desviar e deserdar e que vos afaste do Deus vivo; pelo contrário, exortai-vos (encorajai-vos, incentivai-vos e adverti-vos) mutuamente *cada dia,* durante o tempo que se chama Hoje, a fim de que nenhum de vós seja endurecido pelo engano do pecado [da rebelião consumada] (AMP).

As pessoas que têm o coração endurecido são rebeldes e se recusam a se submeter à correção. Elas têm dificuldade em ouvir a voz de Deus, e têm dificuldade em se relacionarem. Elas não estão dispostas a ver o ponto de vista dos outros; não entendem as necessidades dos outros e geralmente não se importam com isso. São egocêntricas e não conseguem ser movidas por compaixão.

Na verdade, levando em consideração todos os problemas gerados por um coração endurecido, parece-me prudente começar a buscar a Deus de forma decisiva a fim de quebrantar nosso coração e nos ajudar a ser sensíveis ao Seu toque, levando-nos a responder a Ele.

Em meu caso, fiz desta questão da sensibilidade ao Espírito Santo um motivo de oração e de busca pessoal. Quero ser sensível às necessidades e às emoções dos outros. Quero reconhecer rapidamente quando não estiver agindo como Deus deseja. Gostaria de recomendar que você considere a hipótese de fazer o mesmo.

Arrependa-se de qualquer atitude de endurecimento do seu coração da qual Deus possa estar lhe convencendo. Peça a Ele para ajudá-lo nesta área e para transformá-lo. Uma sensibilidade maior nos ajudará a ouvir a voz de Deus imediatamente e com clareza. Nós nos tornamos cada vez melhores quando reconhecemos que os caminhos de Deus são mais altos que os nossos caminhos e dizemos a Ele: "Deus, quero o Teu caminho em minha vida; ensina-me os Teus caminhos, ó Deus".

O PONTO DE VISTA DO MUNDO NOS IMPEDE
DE OUVIR A VOZ DE DEUS

A Palavra de Deus nos ensina que, na qualidade de crentes, estamos no mundo, mas não somos *do* mundo (ver João 17:13-18), o que significa que não podemos ter uma visão mundana das coisas:

> Não se amoldem ao padrão deste mundo, mas transformem-se pela renovação da sua mente, para que sejam capazes de experimentar e comprovar a boa, agradável e perfeita vontade de Deus (Romanos 12:2).

É necessário ter vigilância constante para não nos tornarmos como o mundo, nos seus caminhos e atitudes. Assistir a muitas imagens de violência como forma de entretenimento pode cauterizar ou endurecer a nossa consciência. Muitas pessoas no mundo hoje estão insensíveis ao sofrimento das pessoas do mundo real, devido a toda a violência que é vista no cinema e na televisão. Algumas pessoas afirmam que não há problema em assistirmos à violência, porque se trata "apenas de um filme ou de um programa de televisão e não é algo que está acontecendo de verdade", mas mesmo assim, isso nos afeta.

Uma maior sensibilidade nos ajudará a ouvir a voz de Deus imediatamente e com clareza.

Podemos chegar ao ponto em que não sentimos nenhuma empatia quando ouvimos relatos de tragédias reais ou quando ouvimos falar sobre coisas terríveis que aconteceram com outras pessoas. Quando meu tio morreu, alguém disse à minha tia: "Bem, louvado seja Deus de qualquer jeito". A incapacidade daquela pessoa de se sensibilizar com a dor de minha tia a machucou em um momento em que ela já estava sofrendo muito. Aquelas foram palavras insensíveis, ditas por um coração endurecido, e não palavras compassivas vindas de Deus.

Lembro-me da época em que ouvir falar de um estupro ou de um assassinato no noticiário da noite era algo chocante. Agora, isto acontece com tanta frequência que raramente nos afeta emocionalmente. Dave me disse que a primeira vez que sua família ouviu falar que um vendedor de jornais havia sido roubado, foram notícias chocantes. O mundo mudou tanto desde então, que hoje um incidente como esse seria considerado um delito de pequena importância, e talvez nem fosse mencionado.

A imprensa frequentemente transmite notícias negativas, muitas vezes com relatos sem emoção de acontecimentos trágicos, e muitas vezes ouvimos sem ter uma reação emotiva. Ouvimos falar de tanta violência hoje em dia que mal damos atenção a isso. O mal é progressivo e continuará a aumentar se não nos levantarmos contra ele com determinação.

Creio que tudo isto é parte do plano geral de Satanás para o mundo. Ele quer que tenhamos o ponto de vista de um coração endurecido, e que não nos importemos realmente com as pessoas ou com as suas necessidades. Na qualidade de cristãos, devemos orar por aqueles que estão sofrendo e nos comprometer a lutar contra a apatia do mundo. Isoladamente, talvez não sejamos capazes de solucionar todos os problemas do mundo hoje, mas podemos nos importar – e podemos orar.

Jesus disse: "O Espírito do Senhor está sobre Mim, pelo que Me ungiu para evangelizar" (ver Lucas 4:18). Creio que ainda existem mais coisas boas acontecendo do que más, basta alguém as relatar. Não estou dizendo que não devemos nunca ligar o noticiário ou ler os jornais, mas estou dizendo que não devemos enfatizar os relatórios do mundo ou nos conformar com o ponto de vista dele. Precisamos ouvir o que Deus diz sobre os acontecimentos atuais em nossas vidas e orar de acordo com o que Ele nos dirigir, intercedendo pelas pessoas que estão sendo afetadas por eles.

A FALTA DE PERDÃO NOS IMPEDE DE OUVIR A DEUS

O abuso por um tempo prolongado pode fazer com que uma pessoa endureça o seu coração. Este endurecimento é uma tática de sobrevivência para proteger a pessoa que foi maltratada enquanto suportava a crueldade, o que às vezes pode durar anos. O entorpecimento à dor ajuda as vítimas a sobreviverem ao abuso; elas simplesmente desligam os seus sentimentos. Mas quando as emoções ficam desligadas por anos, isso afeta a saúde das pessoas.

Aqueles que se recusaram a sentir qualquer coisa por muito tempo têm medo de sentir qualquer coisa novamente, porque tudo de que conseguem lembrar é de uma terrível dor. A dor causada pelo abuso pode ser forte demais para se suportar se não for confrontada pelo poder redentor de Deus de curar a ferida.

Finalmente, a dor emocional precisa ser tratada a fim de permitir que as emoções que procedem de Deus possam fluir em nossas vidas novamente. É difícil transformar um coração endurecido em um coração quebrantado, mas tudo é possível para Deus (ver Mateus 19:26). É necessário disposição para se trabalhar com Deus e paciência para fazer com que esses sentimentos retornem.

Deus lhe dará o poder para perdoar, se você pedir a Ele que faça isso.

Se você foi vítima de abuso, não fique preso nesse cativeiro. Não continue a tratar os seus sintomas permanecendo com o coração endurecido. Você não está realmente se protegendo contra mais dores. A dureza de coração não provém do Espírito de Deus. Ele nos criou para termos sentimentos. Sabemos que até Jesus chorou (ver João 11:35).

A qualquer momento em que você abrir os seus sentimentos ficará vulnerável a sentir dor, mas será diferente quando Jesus, Aquele que cura, estiver vivendo dentro de você. Todas as vezes que você se ferir, Ele estará bem ali para cuidar dessa ferida. O perdão é a única coisa que libertará você da dor do abuso. Deus lhe dará o poder para perdoar, se você pedir a Ele que faça isso.

Certamente posso entender como os problemas pessoais ou uma série de decepções podem endurecer o coração. Como resultado do abuso que havia sofrido, eu era uma pessoa amarga, azeda e negativa. Quando Dave e eu nos casamos, o meu lema era "Se você não esperar nada de bom, não se decepcionará quando não acontecer". Mas já percorri um *longo* caminho!

Todas as vezes que a amargura tentar dominar você, recuse-se a permitir isso. Você não é a única pessoa que está passando por dificuldades. O diabo nos encurrala em um canto onde acreditamos que somos os únicos que têm problemas. Pensamos: *Por que eu? Por que eu?* Mas mais cedo ou mais tarde, todos passam por algum tipo de abuso.

Não tenho a intenção de parecer antipática, mas por pior que seja o seu problema, existe alguém que tem um problema pior do que o seu. Passei por muitas coisas difíceis em minha vida, mas isso não é nada se comparado ao que ouço dos outros.

Uma mulher que trabalhou para mim foi abandonada por seu marido depois de trinta e nove anos de casamento. Ele simplesmente se foi, deixando apenas um bilhete. Aquilo foi uma tragédia para ela! Fiquei muito orgulhosa dela quando ela me procurou depois de algumas semanas e disse: "Joyce, por favor, ore por mim para que eu não fique zangada com Deus. Satanás está tentando desesperadamente fazer com que eu fique irada com Deus. Não posso me zangar com Deus. Ele é o único amigo que tenho. Preciso Dele!".

Essa dureza de coração estava tentando dominá-la porque as coisas em sua vida não estavam acontecendo do jeito que ela desejava. Ela havia servido a Deus, havia feito sacrifícios e havia orado, mas Deus não havia atendido à necessidade dela da maneira que ela queria.

As pessoas possuem o livre arbítrio, por isso, não podemos controlar suas escolhas – mesmo através da oração. Podemos orar para que Deus fale com elas e faça tudo que seja possível para conduzi-las a fazer a coisa certa, mas o ponto principal é que Ele tem de deixá-las livres para fazerem a sua própria escolha. Se alguém faz uma escolha errada que nos fere, não devemos pôr a culpa em Deus. Se mantivermos uma atitude positiva, se resistirmos a permitir que a amargura nos domine, Deus nos abençoará de qualquer modo.

Conheço um homem que orou para que seu filho doente não morresse. Ele exerceu a sua fé e realmente acreditou que seu filho viveria. O menino morreu, e o homem tornou-se realmente amargo para com Deus. Seu coração se endureceu porque ele não conseguiu o que queria.

Um dia, ele finalmente disse a Deus: "Onde estavas, Deus, quando meu filho morreu?".

E Deus disse a ele: "Eu estava no mesmo lugar onde estava quando o Meu Filho morreu".

Pense no que deve ter ser sido para Deus, o Pai, ver Seu Filho Jesus sofrer tudo que Ele teve de suportar para que nós pudéssemos ser libertos do pecado e do desespero, e ser livres para receber a abençoada esperança que temos hoje.

Aqueles que sofreram graves abusos precisam perdoar aqueles que abusaram deles para se recuperarem da dor que lhes foi imposta. Porém, muitas pessoas guardam a falta de perdão em seus corações por ofensas muito menores que o abuso, e elas precisam perdoar os seus ofensores também.

A falta de perdão, a amargura, o ressentimento, ou a ofensa de qualquer tipo, podem nos tornar incapazes de ouvir a voz de Deus. A Palavra de Deus é muito clara quanto a este assunto: Se quisermos que Deus perdoe os nossos pecados e as nossas ofensas contra Ele, precisamos perdoar aos outros os pecados e as ofensas deles contra nós.

Efésios 4:30-32 nos ensina que o Espírito Santo se entristece quando abrigamos emoções negativas em nosso coração, como a ira, o ressentimento e o rancor. Quando guardamos a falta de perdão por qualquer motivo, com frequência e por muito tempo, ela endurece o nosso coração e nos impede de sermos sensíveis à direção de Deus sobre as nossas vidas.

Ouvi alguém dizer que abrigar a falta de perdão é como tomar um veneno, esperando que quem morra seja o seu inimigo. Por que passar a sua vida ficando irado com alguém que provavelmente está aproveitando a vida e nem sequer se importa se você está irritado? Faça *a si mesmo* um favor – perdoe aqueles que o feriram! Dê a si mesmo o presente do perdão.

O LEGALISMO FECHA NOSSOS OUVIDOS À VOZ DE DEUS

Mencionei como o ritualismo religioso interfere em uma vida guiada pelo Espírito, mas gostaria de falar com você sobre o tema do legalismo um pouco mais profundamente, porque creio que ele ainda constitui um dos maiores impedimentos a ouvirmos a voz de Deus.

Em primeiro lugar, não creio que podemos experimentar a alegria se não estivermos sendo guiados pelo Espírito de Deus, e não podemos ser guiados pelo Espírito Santo e ao mesmo tempo viver debaixo da lei. Uma mentalidade legalista diz que todos têm de fazer exatamente a mesma coisa, do mesmo jeito, o tempo todo. Mas o Espírito de Deus nos conduz individualmente, e muitas vezes de formas singulares e criativas.

A Palavra escrita diz o mesmo a todos, e não está sujeita à interpretação particular (ver 2 Pedro 1:20). Isto significa que a Palavra de Deus não diz uma coisa a uma pessoa e outra coisa a outra. No entanto, a liderança direta do Espírito Santo *é* uma questão pessoal.

Deus pode direcionar uma pessoa a não comer açúcar porque Ele conhece um fator relacionado à saúde dessa pessoa, mas esta pode não ser a regra para todos. As pessoas legalistas tentam tomar a palavra de Deus para si e torná-la uma regra para todos.

Certa vez, ouvi que quando Jesus nasceu, os escribas e fariseus (os líderes religiosos do Seu tempo) haviam transformado os Dez Mandamentos em duas mil regras para as pessoas seguirem. Imagine tentar aproveitar sua vida tendo de carregar o fardo de cumprir duas mil regras, a maioria delas feita pelo homem!

Jesus veio para libertar os cativos. Não somos livres para fazer tudo que tivermos vontade, mas fomos libertos do legalismo e agora somos livres para seguir a liderança do Espírito Santo.

Isaías profetizou sobre Jesus, dizendo: "O Espírito do Senhor Deus está sobre mim, porque o Senhor me ungiu e me qualificou para pregar o Evangelho das boas novas aos mansos, aos pobres e aos aflitos; Ele me enviou para curar os quebrantados de coração, para proclamar libertação aos cativos [fisicamente e espiritualmente] e abertura da prisão e dos olhos aos que estão presos" (Isaías 61:1, AMP).

A Palavra diz: "Ora, o Senhor é o Espírito e, onde está o Espírito do Senhor, ali há liberdade" (2 Coríntios 3:17). Jesus quer que tenhamos liberdade e não legalismo. Se, pois, o Filho vos libertar, verdadeiramente sereis livres (ver João 8:36).

- Livre do pecado
- Livre da manipulação e do controle
- Livre do medo do que as pessoas podem pensar de você
- Livre de se comparar com os demais
- Livre da competição com os outros
- Livre do egoísmo
- Livre do legalismo
- Livre para ser um indivíduo
- Livre para ser quem você é
- Livre! Livre! Livre!

Em Cristo, fomos libertos e estamos livres da manipulação e do controle de pessoas de mente estreita, como os fariseus, que pensam que o jeito delas é o único jeito de fazer as coisas.

Detesto esse tipo de pensamento, mas eu fui como um fariseu por muitos anos, dando ordens, ficando irritada com todos que não faziam tudo tão rápido quanto eu achava que deveriam, ou do modo como eu achava que deveriam. Eu era áspera, dura e opressiva.

Mas quando li Mateus 11:29-30 pela primeira vez na *Amplified Bible*, meditei nas palavras de Jesus até que elas foram firmadas em meu coração:

> Tomai sobre vós o Meu jugo e aprendei de Mim, porque Sou manso e humilde de coração; e achareis descanso (alívio, relaxamento, refrigério, recreação e tranquilidade abençoada) para a vossa alma. Porque o Meu jugo é suave (útil, bom – não é duro, árduo, pesado ou opressivo, mas confortável, gracioso e agradável), e o Meu fardo é leve (e fácil de levar) (Mateus 11:29-30, AMP).

Confessei estas palavras por diversas vezes, sem cessar: "Não serei dura, árdua, pesada, ou opressora, mas serei gentil, mansa, humilde e modesta".

Precisava fazer esse conceito entrar em meu coração endurecido. Estudei a definição da palavra "mansidão" no dicionário de grego Vine's Greek. A essência de tudo isto é que a mansidão é a disposição gentil e apaziguadora do próprio Cristo e é uma "graça cravada na alma". [1]

Foi uma explicação tão poderosa que eu literalmente rasguei a página do livro e passei a levá-la comigo em minha carteira. Havia momentos em que queria que alguém soubesse que eu estava zangada, mas em vez disso, eu pegava essa definição de mansidão e a lia novamente.

O ponto onde quero chegar é que livrar-me do meu coração duro não foi fácil. A dureza de coração não é dominada da noite para o dia. Pessoalmente, precisei me dedicar a vencê-la durante anos até sentir que a verdadeira mansidão finalmente havia "penetrado lentamente em minha alma".

Manter o seu coração quebrantado não é algo que acontece por acaso – você precisa cooperar conscientemente com o Espírito Santo e deixar que Ele faça em você a obra que precisa ser feita. Isto é muito importante: Não devemos ser legalistas. Se formos, precisamos pedir a Deus para nos transformar e nos dar um coração de carne que seja sensível à Sua voz.

Se você é legalista ou tem o coração endurecido, faça esta oração com sinceridade:

Senhor,

Não quero ser legalista nem ter o coração endurecido. Quero que minha consciência esteja alerta para que eu possa saber quando Tu aprovas ou desaprovas o que estou fazendo ou o que estou para fazer. Não quero ferir os sentimentos das pessoas, seja consciente ou inconscientemente.

Quero ter compaixão das pessoas que sofrem e dar a elas encorajamento verdadeiro, e não alguma resposta religiosa petulante que não atenda à necessidade delas ou que as deixe mais feridas do que estavam antes. Quero ser sensível ao Teu toque e aos Teus caminhos.

Amém.

A GRAÇA REMOVE AQUILO QUE NOS
IMPEDE DE OUVIR A VOZ DE DEUS

Romanos 14 é um bom capítulo para estudar caso o legalismo esteja impedindo a sua capacidade de ouvir a voz de Deus. Ele mostra que é necessário ter verdadeiro equilíbrio, explicando que o que é errado para algumas pessoas pode não ser errado para outras. A diferença está no fato delas estarem agindo de acordo com as suas convicções pessoais recebidas do Senhor ou contra elas.

As pessoas religiosas ficam furiosas quando não seguimos todas as suas regras e ainda assim temos um bom relacionamento com Deus. Como mencionei, a Palavra de Deus escrita possui regras que são as mesmas para todos. Por exemplo, ela diz que não devemos mentir; portanto, ninguém tem o direito de mentir. Ela diz que não devemos matar, e ninguém está isento desta instrução. Mas a Palavra de Deus escrita não nos diz quanto tempo devemos orar diariamente; ela só nos diz para perseverar em orar diligentemente.

A Bíblia nos diz para estudarmos a Palavra de Deus regularmente, para meditarmos nela dia e noite (ver Josué 1:8). Isto obviamente não significa sem interrupção; de outro modo, não poderíamos fazer mais nada. A Bíblia, portanto, não diz exatamente quanto devemos ler a Bíblia e orar diariamente. No entanto, há muitas pessoas que ainda criam regras nestas áreas.

Já ouvi pessoas dizerem: "Se você não está orando pelo menos uma hora por dia, você está fora da vontade de Deus". Elas baseiam este ensinamento na passagem em que Jesus disse: "Nem uma hora pudestes vós vigiar comigo?" (ver Mateus 26:40). Mas Jesus estava falando aos Seus discípulos sobre uma situação específica, e não criando uma regra para todas as horas.

Orar uma hora por dia certamente é um bom alvo. É um bom padrão a ser seguido para fins de disciplina, mas fazer disso uma lei é errado. Esta área e outras como elas são áreas onde devemos ser guiados pessoalmente pelo Espírito Santo. Não há problemas se uma pessoa ouve um mestre ou um pregador sugerir algo e se sente impelido a fazer o mesmo, mas ela não deve ser levada a se sentir culpada caso não faça o que outra pessoa faz.

Quando Jesus falou na cruz, dizendo "Está consumado!" (João 19:30), Ele queria dizer que o sistema do legalismo estava terminado, e que agora, não apenas os sacerdotes religiosos podiam entrar na presença de Deus, mas que todo o povo podia falar com Deus e ouvir a Sua voz.

Antes de Jesus morrer por nós, a única maneira de receber as promessas de Deus era vivendo uma vida perfeita, sem pecado (sendo muito legalista), ou oferecendo um sacrifício de sangue pelo pecado. Quando Jesus morreu e pagou pelos pecados da humanidade com o Seu próprio sangue, o véu do templo que separava as pessoas da presença de Deus no Santo dos Santos foi rasgado de alto a baixo (ver Mateus 27:50-51). Esse acontecimento significava que Deus estava rasgando aquele véu ao meio, do céu para baixo, convidando-nos a entrar na Sua presença livremente – sem mais sacrifícios, sem mais regras legalistas. Até as pessoas comuns, que não fazem tudo certo o tempo todo, agora podem entrar livremente na presença de Deus.

A Palavra de Deus escrita possui regras que são as mesmas para todos.

Toda a questão a respeito do comportamento não se trata de nunca cometermos um erro, mas de obedecermos a Deus. Uma atitude legalista nos deixa com o coração endurecido, mas um relacionamento com Deus nos torna sensíveis, quebrantados e capazes de responder ao Seu toque (ver Ezequiel 11:19).

A Palavra confirma que esta nova aliança da graça, esta liberdade de nos aproximarmos de Deus, foi ideia Dele:

> Portanto, irmãos, temos plena confiança para entrar no Santo dos Santos pelo sangue de Jesus, por um novo e vivo caminho que ele nos abriu por meio do véu, isto é, do seu corpo. Temos, pois, um grande sacerdote sobre a casa de Deus. Sendo assim, aproximemo-nos de Deus com um coração sincero e com plena convicção de fé, tendo os corações aspergidos para nos purificar de uma consciência culpada, e tendo os nossos corpos lavados com água pura (Hebreus 10:19-22).

A libertação do legalismo não é um chamado à ilegalidade. É responsabilidade de cada um de nós aprendermos a ouvir a voz de Deus para as nossas vidas.

QUESTÕES PARA REFLETIR

1. Quais são os impedimentos a ouvir a voz Deus? O que acontece com aqueles que caem nas garras desses impedimentos?

2. Você pode identificar algum desses impedimentos em sua própria vida? Quais? Como você pode superá-los?

3. Quais são as suas motivações para o ministério? Elas são puras?

4. Por que você acha que as pessoas ficam presas na armadilha de trabalharem para Deus em vez de buscarem a Deus? Se isso já aconteceu com você, descreva a ocasião em que você sentiu ou agiu deste modo. O que você estava sentindo?

5. Existe alguma razão pela qual os crentes sofram esgotamento? Explique.

6. Você está esgotado em seu ministério? Você se desgastou fazendo coisas para Deus em vez de passar tempo com Deus? Em caso positivo, o que você pode fazer para começar a mudar isso?

7. Você decidiu endurecer o seu coração para com Deus? De que forma? Você tomou alguma iniciativa para superar isto? O que aconteceu?

8. Como assistir à violência na televisão afeta você pessoalmente? E sua família?

9. Examinando a sua vida, existem leis feitas por homens às quais você segue (como certas horas para orar ou o tempo dedicado ao estudo da Palavra)? Onde você encontrou essas leis? Você consegue achar alguma correlação na Palavra para apoiá-las?

10. O que você acha que Deus o está conduzindo a fazer em resposta a este capítulo?

Mantenha o Seu Receptor Livre do Enganador

Para ouvir a voz de Deus, precisamos em primeiro lugar acreditar que *podemos* ouvir Sua voz. Muitas pessoas querem ouvir a voz de Deus, mas na verdade não *esperam* ouvi-la. Elas dizem a todos: "Simplesmente não consigo ouvir a voz de Deus; Ele nunca fala comigo".

Essas pessoas têm muita "estática" nos seus "receptores" e não conseguem ouvir a Deus com clareza. Seus ouvidos estão cheios de interferência por causa de muitas mensagens provenientes de outras fontes e não de Deus. Consequentemente, elas têm dificuldade em discernir o que Deus está realmente lhes dizendo.

Não adianta nada Deus falar conosco se nós não *acreditamos* que estamos ouvindo a Sua voz. O enganador, o diabo, não quer que achemos que podemos ouvir a voz de Deus. Ele não quer que acreditemos, então ele envia pequenos demônios para ficarem ao nosso redor e nos dizerem mentiras noite e dia, dizendo que não podemos ouvir a voz de Deus.

Mas podemos responder: "Está escrito que Deus me deu a capacidade de ouvi-lo e obedecer-lhe" (ver Salmo 40:6). A Palavra declara que *todos* os crentes têm a capacidade de ouvir *e* obedecer a Deus e de serem guiados pelo Espírito Santo. Jesus ouvia claramente a voz do Pai o tempo todo. Muitas pessoas que estavam cercando Jesus quando Deus falava com Ele só ouviam o que pensavam ser um trovão (ver João 12:29). Se você está tendo dificuldades em ouvir a voz de Deus, eu o encorajo a tirar alguns instantes todos os dias e confessar a sua fé em ouvir a voz Dele. À medida que confessa o que crê em seu coração, você desenvolverá a fé e a expectativa de ouvir a voz Dele.

Costumo confessar com frequência: "Ouço a voz de Deus. Sou guiada pelo Seu Espírito Santo. Conheço a voz do meu Pai, e não seguirei a voz de um estranho. Sou guiada e dirigida pelo Espírito Santo até o dia em que morrer. Deus me guiará todos os dias de minha vida. Ele me guiará e me dará as respostas de que preciso".

CONFIAR EM DEUS ABRE OS NOSSOS RECEPTORES

Se vivermos da maneira de Deus, se decidirmos servi-lo, poderemos evitar longas quedas de braço com Ele. A sabedoria nos diz para deixarmos Deus fazer conosco o que Ele quer, para que não continuemos dando voltas sem cessar ao redor da mesma "montanha" o tempo todo (ver Deuteronômio 2:3 KJV). Conheci pessoas que têm dado voltas em círculos ao redor dos mesmos obstáculos e questões por vinte ou trinta anos. Se elas tivessem simplesmente obedecido a Deus no começo, teriam prosseguido com suas vidas há muito tempo.

Não importa o quanto possamos gostar da situação em que estávamos quando Deus nos encontrou, Ele não permitirá que fiquemos estagnados nela. Ele tem novos lugares para nos levar e novas lições para nos ensinar. Ele quer nos manter cheios de vida, cheios de crescimento, e cheios do Seu plano.

Deus nos disse: "Se vocês não Me derem atenção, se vocês Me ignorarem e não derem ouvidos à Minha repreensão, eu clamarei por vocês. Eu tentarei ajudá-los, mas se vocês continuarem a se fazer de surdos, vocês virão a Mim em pânico quando estiverem com problemas" (ver Provérbios 1:24-28). Deus é misericordioso e paciente, mas virá o tempo em que teremos de entender que simplesmente precisamos ser obedientes a Ele.

Quando os professores de ensino bíblico falam sobre graça, todos os amam. Quando eles ensinam o quanto Deus ama as pessoas mesmo apesar dos seus erros, todos os amam. Mas creio que você também vai me amar por lhe ensinar a obediência. Se você não tem conhecimento de cada princípio da Palavra de Deus, você ficará desequilibrado e terá problemas.

Jeremias 10:23 diz: "Eu sei, Senhor, que não está nas mãos do homem o seu futuro; não compete ao homem dirigir os seus passos". Mesmo com a melhor das intenções, não temos a capacidade de governas nossas vidas. Só Deus sabe o que é melhor para nós no final das contas. Quando comecei a servir a Deus, eu sabia que Ele podia fazer qualquer coisa, então entreguei a Ele a minha lista do que eu queria que fosse feito. Eu achava que podia dizer a Deus como Ele devia governar a minha vida.

Eu pensava que tinha um grande plano e que por Deus ser tão poderoso, Ele poderia fazer o meu plano acontecer. Descobri que mesmo com a ajuda de Deus eu ainda não conseguia fazer o meu plano funcionar.

Deus é misericordioso e paciente.

Jeremias disse que não está no homem, nem mesmo no homem forte, dirigir os seus próprios passos. Não somos capazes de governar nossas próprias vidas. Precisamos da sabedoria e da direção de Deus assim como da Sua força e poder, portanto devemos ouvir o que Ele tem a dizer.

Deus está procurando pessoas que demonstrem a glória da Sua presença em suas vidas. Elas serão pessoas que obedecem a Ele em cada pequeno detalhe. A obediência impede que poluamos nossa consciência e nos mantém vivendo para a glória de Deus.

Isaías 11:2 diz: "Repousará sobre Ele o Espírito do Senhor". Sabemos que esta é uma profecia que diz respeito a Jesus, mas se o Espírito de Jesus está habitando em nós e vivendo através de nós, então desfrutaremos de tudo que está sobre Ele. Teremos sabedoria, entendimento, conselho, força e conhecimento.

Os problemas se dissolvem na presença destas virtudes. Não temos de esperar durante anos para entendermos alguma coisa se formos obedientes à direção do Espírito. O Senhor nos dará rapidamente conselho e força se formos reverentes e submissos a Ele. Ele não nos julgará pela aparência, nem decidirá com base no que ouviu (ver Isaías 11:2-3).

As pessoas que querem ter entendimento, que querem ouvir a voz de Deus, que querem que sabedoria e conhecimento sejam derramados sobre elas, precisam ter um temor reverente e respeitoso por Deus. Temor reverente é saber que Deus é Deus e que Ele fala sério. Ele nos chamou de Seus amigos, e até de Seus filhos e filhas, mas devemos respeitá-lo e honrá-lo com uma obediência reverente.

Se quisermos ouvir a voz de Deus, precisamos reverenciá-lo. Se quisermos entendimento, precisamos estar desesperados por ouvir Sua voz. Não quero comprar nem mesmo um equipamento para nosso ministério sem ouvir a direção de Deus. Não quero assumir compromissos para pregar se Deus não estiver me enviando. Não quero contratar uma pessoa para trabalhar em minha equipe se Deus não me disser para fazer isso.

Todas as semanas, Dave e eu precisamos desesperadamente ouvir a voz de Deus com relação a muitas coisas. Precisamos ouvir Deus sobre como lidar com as pessoas e com inúmeras situações. Nossa oração constante é: "O que devo fazer a respeito disto? O que devo fazer com relação àquilo?".

Acontecem centenas de coisas todas as semanas, diante das quais Dave e eu precisamos ter um entendimento rápido e tomar decisões dirigidas por Deus. Se não obedecermos a Deus na segunda-feira, quando a sexta-feira chegar nossa semana pode ter se transformado em um caos. Portanto, estou determinada a não viver em desobediência.

Se não estivermos dispostos a ouvir em uma área, poderemos ser incapazes de ouvir a Deus em outras.

As pessoas estão preocupadas com a vontade específica de Deus para suas vidas, imaginando o que Ele quer que elas façam: "Senhor, devo aceitar este emprego, ou Tu queres que eu pegue outro emprego? Tu queres que eu faça isto, ou queres que eu faça aquilo?" Creio que Deus quer nos dar esse tipo de direção especifica, mas Ele está muito mais preocupado com a nossa obediência à Sua vontade geral para as nossas vidas. Se não estivermos obedecendo às diretrizes que Ele já nos deu na Sua Palavra, será difícil ouvir o que Ele tem a dizer sobre a Sua vontade específica para nós. Lembre-se, se não estivermos dispostos a ouvir em uma área, poderemos ser incapazes de ouvir a Deus em outras.

A OBEDIÊNCIA ABRE NOSSOS CANAIS RECEPTORES

Precisamos orar e obedecer à direção de Deus. A nossa obediência não deve ser um acontecimento ocasional; ela deve ser o nosso modo de vida. Há uma grande diferença entre as pessoas que estão dispostas a obedecer a Deus diariamente e aquelas que só estão dispostas a obedecer para se livrarem de problemas. Deus certamente mostra às pessoas como se livrarem de problemas, mas Ele concede bênçãos abundantes àqueles que decidem viver de todo coração para Ele, e que fazem da obediência a Ele o seu estilo de vida.

Muitas pessoas obedecem a Deus nas grandes questões, mas não estão cientes de que a obediência nas pequenas coisas faz a diferença no plano Dele para suas vidas. A Bíblia diz claramente que se não formos fiéis no pouco, jamais governaremos sobre o muito. Não faz sentido Deus nos dizer para fazermos alguma coisa de importância se não vamos ser fiéis em fazer as pequenas coisas. É muito importante ser obediente nas menores coisas.

Provérbios 1:23 diz: "Se vocês se voltarem (se arrependerem) e derem ouvidos à Minha repreensão, eis que eu [a Sabedoria] derramarei o meu espírito sobre vocês, e farei as minhas palavras conhecidas de vocês" (AMP).

Deus diz que Ele fará as Suas palavras conhecidas por nós se dermos ouvidos a Ele quando Ele nos corrigir, e se obedecermos quando Ele nos disser para pararmos de fazer alguma coisa. Ele abrirá a sabedoria para nós, e teremos mais revelações do que jamais poderíamos imaginar.

Tudo que precisamos fazer é ser obedientes ao que Deus nos disse para fazer. Ele revelará os tesouros da Sua Palavra que estão ocultos dentro dela. Nós ainda nem chegamos a arranhar a superfície de tudo o que há para saber sobre Deus. Em todos esses anos de ensino e pregação, desde o tempo em que Jesus esteve aqui, ainda nem sequer arranhamos a superfície da revelação que se encontra na Palavra de Deus. Se obedecermos, Ele tornará a Sua vontade claramente conhecida por nós. Ele nos dirá palavras vivas, (o *rhema* de Deus), a Sua palavra pessoal para nossas vidas.

Os versos a seguir apresentam um destino sombrio para aqueles que escolherem seguir o seu próprio caminho, ignorando a comunhão com Deus e a obediência a Ele:

> Vocês, porém, rejeitaram o meu convite; ninguém se importou quando estendi minha mão! Visto que desprezaram totalmente o meu conselho e não quiseram aceitar a minha repreensão, eu, de minha parte, vou rir-me da sua desgraça; zombarei quando o que temem se abater sobre vocês, quando aquilo que temem abater-se sobre vocês como uma tempestade, quando a desgraça os atingir como um vendaval, quando a angústia e a dor os dominarem. Então vocês me chamarão, mas não responderei; procurarão por mim, mas não me encontrarão. Visto que desprezaram o conhecimento e recusaram o temor do Senhor, não quiseram aceitar o meu conselho e fizeram pouco caso da minha advertência, comerão do fruto da sua conduta e se fartarão de suas próprias maquinações. Pois a inconstância dos inexperientes os matará, e a falsa segurança dos tolos os destruirá; mas quem me ouvir viverá em segurança e estará tranquilo, sem temer nenhum mal (Provérbios 1:24-33).

Não creio que Deus se recuse a nos ajudar simplesmente porque deixamos de obedecer a Ele perfeitamente em cada pequeno detalhe. Mas creio que precisamos levar em consideração a seriedade de ignorarmos a graça de Deus que está disponível a nós. A Sua misericórdia está disponível, mas a Palavra diz que o dia da calamidade virá como um redemoinho de vento, e que aqueles que o ignoram agora não conseguirão encontrá-lo quando clamarem a Ele.

Creio que Deus derrama graça e misericórdia sobre as vidas das pessoas sinceras que estão buscando-o de todo coração, e que não estão desobedecendo a Ele conscientemente ou propositalmente. No entanto, há muitas pessoas que se dizem cristãs e que não estão obedecendo a Deus e não estão ouvindo a Sua voz. Podemos ficar tão confiantes em um "sistema de camaradagem" com o Senhor a ponto de nos esquecermos de que estamos lidando com o Deus Todo-Poderoso.

Se não estivermos prestando atenção ao que Ele diz, como nossas vidas podem ser outra coisa senão um caos? Se uma pessoa está com a vida em frangalhos, é porque ela não prestou atenção a Deus no passado. A única maneira de uma pessoa sair dessa situação é se arrependendo e obedecendo à sabedoria de Deus desse dia em diante.

Jesus disse: "Se Me ama, você Me obedecerá" (ver João 14:23). Sempre que estudo sobre ouvir a voz de Deus, deparo-me com o fato de que não ouviremos a voz de Deus claramente se não estivermos obedecendo a Ele. Sem obediência, temos uma consciência culpada. Enquanto tivermos essa consciência culpada, não podemos ter fé e confiança para permanecer na presença de Deus (ver 1 João 3:20-24).

Prestar atenção à Palavra de Deus deve ser o objetivo de nossa vida. O objetivo de nossa vida não deve ser ganhar dinheiro. O objetivo de nossa vida não deve ser nos tornarmos um grande magnata dos negócios. Chegar ao topo da escada profissional não deve ser o objetivo de nossa vida. Juntar grandes quantias de dinheiro e possuir casas, carros e roupas, não deve ser o alvo de nossa vida.

A Bíblia nos diz claramente que sem fé e confiança, não importa qual bênção Deus esteja tentando nos dar, não a receberemos (ver Tiago 1:5-7). Mesmo quando nós não nos comportarmos, Deus não para de dar. A Sua natureza nunca muda, não importa o que façamos. Ele é amor (ver 1 João 4:8); amor não é algo que Ele liga e desliga dependendo do nosso comportamento. Mas quando sabemos que fizemos algo errado, e não nos arrependemos, não podemos receber de Deus.

Assim que fazemos algo errado, o enganador envia a condenação para tentar interferir na nossa capacidade de ouvir a voz de Deus. Não há condenação para aqueles que estão em Cristo Jesus (ver Romanos 8:1), e não vamos fazer tudo com perfeição. Mas se não conhecermos a verdade, não seremos livres para desfrutar do perdão e das bênçãos de Deus.

Graças a Deus pelo sangue de Jesus, que apaga os nossos pecados dos olhos de Deus. Ele nos purifica do poder do pecado e remove a condenação que ele traz. Passei muitos anos tentando me recuperar do sentimento de condenação pela desobediência. Finalmente atingi um plano mais elevado – que é fazer o que Deus me diz para fazer desde o começo. A obediência é um plano melhor. Descobri que se eu simplesmente fosse obediente, não teria de lutar contra o sentimento negativo que resultava da desobediência a Deus.

Obedeça a Deus em cada pequeno detalhe, e você desfrutará de uma vida excelente. Seja diligente na sua obediência; caminhe a segunda milha, e faça cada pequenina coisa que Deus lhe disser para fazer. Aprenda a viver a sua vida diante de Deus, e não diante do homem. Faça todas as pequenas coisas que Deus lhe disser para fazer, mesmo que ninguém nunca venha a saber. Coloque o seu carrinho de supermercado de volta no lugar dele, em vez de deixá-lo no meio do estacionamento. Por quê? Porque o dono do local colocou um aviso dizendo: "Favor devolver os carrinhos aqui", e Deus disse que devemos nos submeter às autoridades (ver Tito 3:1).

Jesus disse: "Se Me ama, você Me obedecerá".

A carne diz: "Bem, todo mundo deixa os carrinhos espalhados por toda parte; por que eu deveria colocar o meu no lugar certo?" Porque o nosso padrão não é o dos outros – o nosso padrão é Jesus. Quando me comparo a todos os demais, não pareço tão má assim. Mas se eu me comparar a Jesus, ficou humilhada e peço a Deus que me ajude! Até Jesus voltar para nos buscar, precisamos nos comparar a Ele e ao padrão de santidade que Ele representa para as nossas vidas.

Temos muito trabalho a fazer a fim de estarmos à altura do Seu padrão. Embora não tenhamos motivos para nos orgulhar da nossa própria carne ou das nossas realizações pessoais, o nosso esforço visando a excelência nos manterá sensíveis à voz de Deus.

A GRATIDÃO ABRE OS NOSSOS CANAIS RECEPTORES

A vontade geral de Deus para nós é "Deem graças em todas as circunstâncias, pois esta é a vontade de Deus para vocês em Cristo Jesus" (1 Tessalonicenses 5:18). Não precisamos nos preocupar em saber se é da vontade de Deus irmos para o campo missionário até que tenhamos aprendido a obedecer à Sua vontade aqui mesmo, onde estamos.

A gratidão mantém nossos ouvidos abertos para ouvir a Deus. A Bíblia diz que devemos agradecer a Deus em tudo, não *por* tudo, mas *em* tudo. Isto significa que não importa o que está acontecendo em sua vida, não devemos reclamar, murmurar, resmungar ou criticar. Deus não quer nos ouvir choramingar porque isto é evidência de que não temos fé na Sua capacidade de transformar as coisas para melhor.

Ele prefere nos ouvir dizer: "Bem, Deus, isto é definitivamente um sacrifício de louvor, mas eu Te dou graças porque Tu és grande e poderoso; mesmo no meio deste caos, Tu continuas sendo grande e poderoso". Deus nos honra quando demonstramos esse tipo de fé. Ele falará aos nossos ouvidos receptivos e nos conduzirá para fora do problema.

As pessoas que resmungam e reclamam desde a manhã até à noite nunca ouvem a voz de Deus, porque para ouvir a Deus elas precisam parar de reclamar! Levei anos para descobrir isto. Eu resmungava, reclamava, murmurava e criticava a todos, e depois sentia ciúmes porque todos os outros estavam recebendo uma palavra da parte de Deus.

"Por que nada de bom está acontecendo comigo?" eu gemia.

Dave ficava me dizendo: "Joyce, não vai acontecer nada de bom em sua vida até que você se torne uma pessoa estável".

Então eu ficava irritada com ele por ter me dito isto e respondia bruscamente: "Você não tem mesmo compaixão!".

Queria que ele fosse negativo como eu, mas se ele concordasse comigo, nós realmente teríamos ficado em uma situação deplorável. Finalmente, aprendi que se quisesse ouvir a voz de Deus, eu tinha de parar de reclamar. A Bíblia diz que é a vontade de Deus que nós demos graças a Ele em tudo.

Às vezes eu dava graças a Deus com lágrimas descendo pelo meu rosto, sentada na beira da minha cama e gritando: "Deus, se Tu queres saber a verdade, quero ir para algum lugar e ter um ataque de nervos! Mas vou Te obedecer porque já fiz tudo que podia, e nada funciona. Tu disseste que devemos dar graças em tudo. Obrigada, Senhor. Obrigada porque Tu ainda és Deus e porque Tu ainda estás

200
COMO OUVIR A VOZ DE DEUS

no trono. Obrigada porque Tu estás fazendo coisas boas, embora eu esteja no meio de um terrível caos. Obrigada, obrigada, obrigada porque sou salva".

Depois de nos dizer para darmos graças a Deus em tudo, o versículo seguinte diz: "Não apaguem o Espírito" (1 Tessalonicenses 5:19). Creio que apagamos o Espírito Santo quando reclamamos. Precisamos que o Espírito Santo opere em nossas vidas. Quanto mais formos gratos, mais liberdade o Espírito Santo terá de trabalhar nas situações da nossa vida. Reclamar é natural, mas dar graças é sobrenatural quando somos testados e provados pelas circunstâncias da vida.

PEDIR RESPOSTAS A DEUS ABRE
NOSSOS CANAIS RECEPTORES

"Se algum de vocês tem falta de sabedoria, peça-a a Deus, que a todos dá livremente, de boa vontade; e lhe será concedida" (Tiago 1:5). O contexto deste versículo tem a ver com passarmos por provações.

As pessoas que resmungam e reclamam desde a manhã até à noite nunca ouvem a voz de Deus.

Se precisarmos de ajuda, devemos pedir a Deus com confiança, e Ele não nos julgará. Ele não nos criticará por pedirmos. Muitas vezes Ele transmite as Suas respostas a nós de muitas formas, mas se os nossos canais de recepção estiverem sofrendo interferência por causa da incredulidade, não conseguiremos recebê-las. Sem fé, não ouviremos a Sua resposta. A Palavra explica que quando pedimos alguma coisa a Deus, precisamos pedir com fé sem vacilar, sem hesitar, e sem duvidar (ver Tiago 1:6). Deus quer que confiemos totalmente que Ele manifestará o Seu poder e o Seu amor em nossas vidas. Ele não nos pede para vivermos perfeitamente; Ele nos pede apenas para confiarmos nele e obedecermos a Ele.

Como resposta ao nosso pedido de ajuda, Deus pode nos convencer da nossa necessidade de pedir perdão por ter ofendido al-

MANTENHA O SEU RECEPTOR LIVRE DO ENGANADOR

guém. Se não fizermos isso por causa do nosso constrangimento ou orgulho, a nossa culpa ficará no caminho impedindo que ouçamos a voz de Deus. Não devemos nos surpreender se todas as vezes que formos buscar a Deus pedindo sabedoria em uma nova área, só ouvirmos a última coisa que Ele nos disse para fazer. Todas as vezes que finalmente obedeci a Deus, fui grandemente recompensada, tanto recebendo alívio, quanto sendo abençoada com um relacionamento renovado com Ele e com as pessoas de quem eu estava afastada por causa da desobediência.

Hoje tenho um temor reverente e respeitoso por Deus, e sou obediente às Suas instruções. Se Deus me disser para pedir perdão a alguém, simplesmente vou e faço. Às vezes é difícil, e às vezes é constrangedor. O orgulho é tolo; ele não se abaixa com facilidade. Eu preferiria mil vezes que aquela pessoa me procurasse e se desdobrasse em desculpas, mas se Deus me diz para ir até ela, vou, porque desenvolvi um temor reverente e respeitoso pelo Deus poderoso a quem sirvo. Sei que não posso dar a Deus uma desculpa esfarrapada para a desobediência e depois esperar ouvir claramente a Sua voz e operar na Sua unção.

Outra coisa que Deus pode nos instruir a fazer é abençoar alguém lhe dando algo que nos pertence. Eu o encorajo a não se apaixonar pelos seus pertences, assim você não ficará tão deprimido quando Deus lhe disser para se livrar deles. Concordo que é difícil dar coisas se Deus lhe diz para fazer isso, mas é mais difícil comparecer diante Dele com a consciência culpada do que simplesmente seguir em frente e ser uma bênção para alguém. Precisamos manter a atitude certa com relação às coisas; ter a paz de Deus e ser capaz de ouvir a voz Dele é muito mais importante do que nos agarrarmos às coisas.

PRESTAR ATENÇÃO DE TODO O CORAÇÃO ABRE O NOSSO CANAL DE RECEPÇÃO

Só há duas opções para tudo o que entra por nossos ouvidos e por nossos olhos: ou vai nos fazer prosperar ou vai nos envenenar. Nossos corações são como rádios, e se quisermos captar a mensagem de Deus para nós, não podemos sintonizar todo tipo de lixo que nos cerca. Deus está transmitindo a certeza do Seu amor por nós, mas pode haver interferência demais ao nosso redor para que possamos ouvi-lo falar.

Precisamos estar quietos e em paz para ouvi-lo. A paz vem ao obedecermos a Deus o melhor que pudermos e pelo poder purificador do sangue de Jesus. Às vezes, dependemos do poder purificador do sangue, mas deixamos de entender a extrema importância da obediência.

Devemos buscar o Senhor de todo o coração. Para muitos cristãos, o interesse de buscar a Deus não compromete mais do que a metade do seu coração. Eles querem que Deus cuide deles, mas não querem realmente sacrificar o tempo e a dedicação necessários para crescerem no conhecimento Dele e da Sua Palavra – e tampouco querem comprometer tempo em oração.

Deus disse a Abraão: "Eu farei uma aliança com você. Eu farei o seu nome famoso. Eu o tornarei rico. Farei coisas por você que ninguém mais poderia fazer. Eu lhe darei um filho na sua velhice. Mais eis a sua parte: você deve andar diante de mim *de todo o seu coração*" (ver Gênesis 12-15). Abraão prostrou-se sobre seu rosto diante de Deus. Ele sabia que estava na presença de um Deus tremendo que falava sério.

Devemos buscar o Senhor de todo o coração.

Abraão entendeu que Deus tinha um plano para a sua vida. Deus queria que Abraão e seus herdeiros prosperassem. Deus queria que coisas boas acontecessem com ele. Esta promessa foi passada a todos que aceitassem Jesus como seu Senhor. Deus quer que sejamos tão felizes que as pessoas olhem para nós e digam: "Este homem serve a um Deus poderoso que se importa com ele; ninguém mais poderia fazer as coisas acontecerem na vida deste homem senão Deus".

A glória de Deus é uma troca maravilhosa pela nossa devoção de todo o coração. A nossa plena atenção em Deus manterá a estática fora dos nossos receptores para que possamos receber cada coisa boa que Ele está tentando nos dar.

UM CORAÇÃO PURO MANTÉM OS NOSSOS
RECEPTORES LIVRES DA ESTÁTICA

Jesus disse: "Bem-aventurados os puros de coração, pois verão a Deus" (ver Mateus 5:8). Se tivermos um coração puro, teremos clareza. Veremos claramente o plano de Deus para nossas vidas. Não nos sentiremos sem objetivo ou confusos. Saberemos que não é a vontade de Deus que nos sintamos culpados ou condenados.

1 João 3:21, 22 confirma: "Amados, se o nosso coração não nos condenar, temos confiança diante de Deus e recebemos Dele tudo o que pedimos, porque obedecemos aos Seus mandamentos e fazemos o que lhe agrada".

Se a nossa consciência não nos condena, podemos receber o que Deus está nos enviando. Se a desobediência faz com que a nossa consciência fique nublada, é hora de nos livrarmos dessa estática em nossos receptores. Para mantermos o nosso coração puro diante do Senhor, precisamos deixar Cristo fazer morada em nós e fazer dos desejos Dele os nossos desejos.

Como escrevi nas páginas iniciais deste livro, Jesus disse: "Considerem atentamente o que vocês estão ouvindo. Com a medida com que medirem vocês serão medidos; e ainda mais lhes acrescentarão. A quem tiver, mais lhe será dado; de quem não tiver, até o que tem lhe será tirado" (Marcos 4:24, 25).

Devemos usar a audição seletiva quando estivermos buscando uma palavra da parte de Deus. A Bíblia diz que nos últimos dias muitos falsos profetas se levantarão e dirão às pessoas aquilo que os ouvidos dela, cheios de coceira, querem ouvir. As pessoas procurarão uma pessoa atrás da outra que lhes diga algo agradável e gratificante. A fim de satisfazer seus próprios desejos, elas se desviarão de ouvirem a verdade e se perderão dando ouvidos a mitos e a ficções criadas pelo homem (ver 2 Timóteo 4:3-4).

Nunca antes vimos um número tão grande de paranormais competindo por ouvidos ávidos. A televisão tem mostrado médiuns que afirmam estar se conectando com entes queridos falecidos. Na verdade, eles estão se comunicando com espíritos familiares que dizem meias-verdades sobre o passado e depois mentem sobre o futuro. A

Palavra de Deus diz claramente: "Não recorram aos médiuns, nem busquem a quem consulta espíritos, pois vocês serão contaminados por eles. Eu Sou o Senhor, o Deus de vocês" (Levítico 19:31). Esta é uma ordem séria! Espiritismo, adivinhação e feitiçaria são proibidos na Palavra de Deus.

Deus diz que Ele voltará o Seu rosto contra qualquer pessoa que se volte para os médiuns e para os espíritas para se prostituírem seguindo-os (ver Levítico 20:6-7). No entanto, os cristãos ainda leem horóscopos e consultam paranormais e depois se perguntam por que não têm paz.

Mantenha o seu coração puro e tome cuidado com o que você ouve.

Muitas pessoas, inclusive alguns que se consideram cristãos, participam de práticas que Deus considera más e desprezíveis. Eles inocentemente acham que não há nada de errado com essas práticas. Multidões de pessoas em todo o mundo consultam as estrelas antes de tomarem uma decisão, até para coisas simples como quando devem cortar o cabelo. No entanto, um estudo cuidadoso da Palavra de Deus nos mostra claramente que estas coisas são abominação para Deus. Até usar e depender de amuletos da sorte é uma afronta a Deus. A nossa fé deve estar somente em Deus, não em Deus e mais uma série de outras coisas. Aqueles de nós que acreditam em Jesus Cristo não precisam depender da sorte; podemos confiar em Deus para nos abençoar.

Alguns religiosos ensinam as pessoas a adorarem a natureza – as estrelas, a lua, o sol, as pedras, as árvores, e outras coisas que Deus criou. Por que adorar as estrelas quando você pode adorar Aquele que criou as estrelas? Por que pedir direção e conselho às estrelas quando o Espírito de Deus deseja conduzir você? Deus exige o primeiro lugar em nossas vidas; Ele é um Deus zeloso, e devemos sempre ir até Ele, e não às coisas criadas por Ele.

É errado procurar direcionamento para a nossa vida através de qualquer outro que não seja o próprio Deus. Quando procuramos outras fontes, isto ofende a Deus. Ninguém que faz isso terá a vida pacífica, cheia de alegria e próspera que Deus pretendeu que tivesse. Se você já se envolveu em qualquer atividade deste tipo, eu o encorajo com veemência a se arrepender totalmente, a pedir perdão a Deus, e a se afastar completamente dessas práticas.

Mantenha seu coração puro e tome cuidado com o que você ouve. Assim como não pode sintonizar em duas estações de uma vez, você também não pode servir a dois senhores (ver Lucas 16:13). Talvez seja preciso abrir mão de amigos caso eles estejam enchendo você com uma estática contrária à Palavra de Deus. Você pode ter de trocar os canais de televisão em casa, e escolher novas estações de rádio enquanto dirige seu carro. Preste atenção; caso as ondas sonoras ao seu redor estejam sendo cheias com conversas negativas, faça uma mudança nos seus hábitos com relação àquilo que você ouve. Certifique-se de que essas palavras negativas não estejam saindo da sua própria boca.

A Palavra de Deus nos diz que:

> Entre vocês não deve haver nem sequer menção de imoralidade sexual como também de nenhuma espécie de impureza e de cobiça; pois essas coisas não são próprias para os santos. Não haja obscenidade, nem conversas tolas, nem gracejos imorais, que são inconvenientes, mas, ao invés disso, ações de graças. Porque vocês podem estar certos disto: nenhum imoral, ou impuro, ou ganancioso, que é idólatra, tem herança no Reino de Cristo e de Deus (Efésios 5:3-5).

Pode haver coisas em sua vida que precisam ser eliminadas, cortadas, e das quais você precisa abrir mão para poder receber de Deus. Você também pode precisar prestar atenção às conversas que mantém consigo mesmo em seu íntimo. Para ouvir a voz de Deus, você precisa estar disposto a viver em solo santo, e isto significa manter seus pensamentos alinhados com a Palavra de Deus. Coloque o seu foco na verdade de que Deus tem um plano para a sua vida que inclui muitas, muitas bênçãos. Não é possível ter as bênçãos de Deus e continuar a correr atrás dos desejos da carne. Assim, Deus tratará claramente com cada um de nós para que saibamos o que precisa ser feito para que os nossos canais de recepção estejam livres para ouvi-lo. Quando Ele falar, devemos obedecer rapidamente com reverência e honra, porque Ele é um Deus santo, e deseja trabalhar a santidade em nós. Ele nos recompensará abertamente se obedecermos a Ele secretamente nas esferas ocultas do nosso coração (ver Mateus 6).

Não devemos lutar com Deus; em vez disso, devemos deixar que Ele reine totalmente em nossas vidas. Se deixarmos que Ele nos guie, conduza e dirija, não perderemos o plano que Ele tem para nós. Se continuarmos a resistir a Ele, sofreremos por todos os dias de nossas vidas, porque o nosso homem interior saberá que perdemos o melhor de Deus.

DESLIGUE A VOZ DO ERRO

Na qualidade de crentes, é nosso direito e privilégio ouvir Deus falar conosco. Deus nos dá discernimento para distinguiremos a Sua voz das vozes do engano. Ele compara este discernimento com a natureza instintiva das ovelhas que reconhecem a voz do seu pastor.

Jesus ensinou esta parábola sobre o bom pastor: "As ovelhas ouvem a sua voz. Ele chama as suas ovelhas pelo nome e as leva para fora. Depois de conduzir para fora todas as suas ovelhas, vai adiante delas, e estas o seguem, porque *conhecem a sua voz*" (João 10:3-4). Então Ele disse: "Eu Sou o Bom Pastor; conheço as Minhas ovelhas, e elas Me conhecem" (João 10:14).

Se realmente pertencemos a Deus, *distinguiremos* a Sua voz do espírito do erro. Saberemos que o que ouvimos é algo que faz parte da Sua natureza. Saberemos que o que Ele disse não contradiz a Sua Palavra, sabedoria ou bom senso.

Fico triste quando ouço as pessoas dizerem: "Deus me disse para fazer isto", mas é óbvio que um bom pastor jamais lhes diria para fazer o que estão fazendo. Vem à minha mente o exemplo de uma jovem que durante algum tempo participou de nossas conferências. Ela dormia em seu carro, e soubemos que ela estava extremamente endividada e sem rendimento algum. No entanto, ela acreditava que Deus havia lhe *dito* para abandonar tudo e vir às nossas reuniões.

Tentamos dizer-lhe que a voz da sabedoria de Deus não diria a ela para dormir em seu carro, porque não é seguro. O bom senso diz que precisamos encontrar trabalho e pagar as nossas contas se estivermos com dívidas. Um bom pastor não teria colocado esta mulher em uma situação de perigo, na qual ela tinha de mendigar para comer. Ela finalmente admitiu que mentira acerca de muitas coisas, o que prova que ela estava seguindo o espírito do erro.

Assim, as pessoas perguntam: "Como posso ter certeza de que estou ouvindo a voz de Deus?" A Palavra diz que simplesmente distinguimos a voz Dele das outras. Saberemos a diferença entre a voz de Deus e a voz do engano se realmente conhecermos o Seu caráter, a Sua natureza e a história de como Ele dirigiu outras pessoas antes de nós. Jesus disse a respeito de Suas ovelhas: "Mas nunca seguirão um estranho; na verdade, fugirão dele, porque não reconhecem a voz de estranhos" (João 10:5).

Juntamente com o dom de ouvir a voz de Deus, recebemos o dom do discernimento para sabermos que é realmente Deus. Se Ele fala, também nos dará discernimento para sabermos que é Ele, de modo que possamos confiar quando Ele estiver nos dizendo para seguirmos em frente ou quando Ele estiver nos dizendo para esperar.

> *Distinguiremos a diferença entre a voz de Deus e a voz do engano.*

A fim de evitar o espírito do erro, precisamos simplesmente buscar na Palavra de Deus. Nela vemos um espelho da glória do Senhor, e olhar para a Sua glória nos transforma à Sua própria imagem "com glória cada vez maior" (2 Coríntios 3:18). Quanto mais estudamos e aprendemos a Palavra, mais deixamos o seu poder fluir através da nossa vida.

Passe tempo com Deus. Provérbios 4:20-23 diz: "Meu filho, escute o que lhe digo: preste atenção às Minhas palavras. Nunca as perca de vista; guarde-as no fundo do coração, pois são vida para quem as encontra e saúde para todo o seu ser. Acima de tudo, guarde o seu coração, pois dele depende toda a sua vida".

QUESTÕES PARA REFLETIR

1. Você acredita que pode ouvir a voz de Deus? Se não, tente juntar-se a mim nesta confissão:

   "Ouço a voz de Deus. Sou dirigido pelo Seu Espírito Santo. Conheço a voz do meu Pai, e não seguirei a voz de um estranho. Sou dirigido e guiado pelo Espírito Santo, e o serei até à morte. Deus me guiará todos os dias da minha vida. Ele me guiará e me dará as respostas de que preciso".

2. Por que você acha que não podemos receber de Deus quando andamos em desobediência?

3. De que maneira você está vivendo diante do homem em vez de viver diante de Deus? O que a Palavra diz a esse respeito?

4. Existe alguma área da sua vida onde você esteja murmurando e reclamando em vez de dar graças a Deus em todas as coisas? O que Deus gostaria que você fizesse com relação a esta situação?

5. Qual é o seu entendimento sobre a importância da obediência? Como este entendimento se reflete em sua vida? Como o seu entendimento se alinha com a Palavra de Deus?

6. Como você mantém toda a sua atenção em Deus? De que maneira você já está fazendo isto? Em que áreas você precisa trabalhar?

7. Qual é o propósito da santidade e da obediência? Devemos buscar a santidade e a obediência com o fim de obtermos recompensas de Deus? Por que ou por que não?

8. O que você acha que Deus o está conduzindo a fazer em resposta a este capítulo?

Santifique os Seus Ouvidos para o Senhor

A Palavra de Deus promete que Ele fará uma obra redentora em nós, a fim de nos mostrar como sermos guiados pelo Seu Espírito. A passagem de 1 Tessalonicenses 5:23-24 explica:

> Que o próprio Deus da paz os santifique inteiramente. Que todo o espírito, a alma e o corpo de vocês sejam preservados irrepreensíveis na vinda de nosso Senhor Jesus Cristo. Aquele que os chama é fiel, e fará isso.

O Senhor nos ensinará a ouvir a Sua voz. Ele preservará o nosso espírito, alma e corpo, e nos conduzirá a uma vida separada e santificada nele.

Muitas pessoas não entendem que somos um ser trino: espírito, alma e corpo. Somos um espírito, temos uma alma, e vivemos em um corpo. Deus promete cuidar de todas as três partes que fazem de nós quem somos.

Muitos cristãos cometem o erro de pensar que Deus só se importa com o espírito. Mas Ele quer que sejamos íntegros na mente (emoções) e no corpo também.

Lembro-me que uma noite olhei-me no espelho enquanto me preparava para uma reunião. Eu disse: "Deus, pertenço a Ti, e a ninguém mais. Sou a esposa de Dave Meyer, e nesse sentido pertenço a ele, mas na verdade pertenço a Ti".

Na qualidade de cristão, você também pertence a Deus. Jesus comprou você com o preço da Sua própria vida (ver 1 Coríntios 6:20). Você tem um destino a cumprir em um plano que Deus planejou especificamente para você. Existe algo que Deus quer que você faça, algo que Deus quer que você desfrute. Você não nasceu por acaso. Você foi planejado no coração de Deus. Ele formou você no ventre de sua mãe com a Sua própria mão. O plano Dele para você é revelado através da obra do Espírito Santo, a quem Jesus enviou para viver dentro de você.

Se você não está familiarizado com a presença do Espírito Santo habitando em seu interior, eu o encorajo a ler o meu livro *Knowing God Intimately* (Conhecendo a Deus na Intimidade). Nele, compartilho em detalhes como receber o Espírito Santo em sua vida diária e desfrutar da consciência da Sua presença no fundo do seu coração.

Devemos trabalhar com o Espírito Santo para executar o plano que começou a ser realizado em nós quando aceitamos Jesus como nosso Senhor e Salvador. O nosso novo nascimento começa em nosso espírito, é executado através da nossa alma (mente, vontade e emoções), e finalmente torna-se visível para as outras pessoas através de uma demonstração da Sua glória em nossa vida física.

A glória de Deus é promovida pelo nosso conhecimento de como Ele quer operar em nós, e o que devemos fazer para cumprir o Seu plano. Precisamos discernir a diferença entre a direção do Espírito Santo e os desejos da nossa carne. Não desejaremos ardentemente as coisas que nosso corpo almeja se seguirmos o Espírito. Não seremos guiados para os desejos destrutivos da nossa natureza humana se adquirirmos o hábito de ouvir o Espírito Santo e fazer o que Ele nos diz para fazer (ver Gálatas 5:16-17).

Do mesmo modo, podemos andar por aí com a palavra "desastre" impressa em nossa testa, caso decidamos passar a vida fazendo tudo o que tivermos vontade de fazer. Nossos sentimentos são instáveis e podem nos levar para mil direções diferentes, para longe do plano de Deus para nós. Os desejos da carne não vão desaparecer, mas se andarmos no caminho que o Espírito nos direcionar, não satisfaremos os desejos da carne. Faremos escolhas que nos conduzirão à paz, alegria e justiça abundantes (ver Romanos 14:17).

SANTIFIQUE OS SEUS OUVIDOS PARA O SENHOR

211

Todas as vezes que Deus falar conosco, e agirmos como se não estivéssemos ouvindo, nossos corações se tornarão mais endurecidos, até que eles se tornem duros demais para que possamos ouvi-lo. Finalmente, a nossa teimosia cristaliza totalmente a nossa capacidade de ouvir. Todas as vezes que virarmos as costas para o que sabemos que é certo, nos tornamos um pouco mais obstinados até nos tornarmos totalmente surdos à Sua direção.

No capítulo seis de Jeremias, o Senhor diz a Jeremias para advertir os Seus filhos sobre a iminente destruição da cidade que estava cheia de opressão.

Mas o profeta respondeu: "A quem posso eu falar ou advertir? Os ouvidos deles são obstinados e eles não podem ouvir. A Palavra do Senhor é para eles desprezível não encontram nela motivo de prazer" (v. 10).

Como é trágico ver que Deus quer proteger e suprir o Seu povo, mas eles não são capazes de ouvir a Sua voz porque Seus ouvidos são incircuncisos.

O versículo mais poderoso do Novo Testamento sobre ouvir a voz de Deus é João 5:30, onde Jesus disse: "Por Mim mesmo *nada* posso fazer; Eu julgo apenas conforme ouço, e o Meu julgamento é justo, pois não procuro agradar a mim mesmo, mas Àquele que Me enviou".

Existe algo que Deus quer que você faça, algo que Deus quer que você desfrute.

Jesus tinha ouvidos santificados, circuncidados. Ele não fazia *nada* a não ser que ouvisse a voz do Pai com relação àquilo. Imagine como nossas vidas seriam diferentes se perguntássemos a Deus *antes* de fazer as coisas em vez de chamá-lo para nos livrar dos problemas em que nos metemos quando seguimos o nosso próprio caminho sem o Seu conselho.

A Palavra de Deus nos mostra claramente que precisamos ouvir a Sua voz e comprometer nossos ouvidos em uma aliança com Ele, deixando que Ele santifique e circuncide nossos ouvidos para que possamos ouvi-lo. Muitas vezes Deus nos mostra claramente o que fazer, mas não o fazemos porque não gostamos do plano Dele. Podemos até fingir que sofremos de surdez espiritual quando não gostamos do que o ouvimos claramente. Os nossos apetites carnais podem impedir a nossa aceitação à verdade de Deus.

Podemos ficar face a face com a verdade e ainda não aceitá-la. Admito que a verdade é mais fácil de aceitar quando ela diz respeito a outra pessoa e à vida dela, do que quando diz respeito e nós e à nossa própria vida. Temos um plano de como desejamos que nossa vida siga, e temos uma maneira segundo a qual queremos executar o nosso plano. Na maior parte do tempo, queremos que Deus faça com que o nosso plano funcione em vez de ouvirmos a Deus para saber qual é o plano Dele. Devemos orar primeiro e conhecer o plano de Deus, e não planejar primeiro e depois orar para que Deus faça o nosso plano dar certo.

PEÇA A DEUS PARA SANTIFICAR E CIRCUNCIDAR OS SEUS OUVIDOS

Se você não está ouvindo a voz de Deus falar com você, eu o encorajo a pedir ao Pai para santificar e circuncidar os seus ouvidos para que eles sejam sensíveis à Sua direção. "Santificar" significa separar para um propósito sagrado, e "circuncidar" significa cortar fora a carne. Ao pedir a Deus para santificar e circuncidar seus ouvidos, você está pedindo a Ele para tornar seus ouvidos sensíveis para ouvir o que é santo e certo e para remover as tentações mundanas que distraem você do plano maior de Deus para a sua vida.

> *Peça a Deus para lhe dar ouvidos que possam ouvir o que Ele quer dizer.*

Em outras palavras, peça a Deus para lhe dar ouvidos que possam ouvir o que Ele quer dizer, e não apenas o que você quer ouvir. Peça ouvidos santificados que sejam ungidos para ouvir a Sua voz com um discernimento claro, e ouvidos circuncidados para ouvir a Sua voz com precisão, sem a interferência dos desejos carnais.

Em Êxodo 29, lemos a história de como Deus santificou Arão e seus filhos para serem sacerdotes no Seu santuário, a Tenda da Con-

SANTIFIQUE OS SEUS OUVIDOS PARA O SENHOR

gregação. Deus especificou para Moisés em detalhes o ritual exigido para ordenar Arão e seus filhos para servirem perante o Senhor.

Moisés devia cobrir Arão e seus filhos com o sangue do cordeiro na orelha direita, no polegar da mão direita, e no dedão do pé direito, e depois derramar o resto do sangue ao redor do altar. Então, o óleo da unção devia ser espargido sobre Arão e suas vestes e sobre seus filhos e suas vestes para santificá-los e torná-los santos (ver vv. 20-21).

Esta cerimônia é um retrato físico da nossa própria santificação espiritual como sacerdotes perante o Senhor (ver Apocalipse 1:5-6). O derramamento do sangue de Cristo como pagamento pelo pecado santifica aqueles a quem ele cobre, e a unção do Espírito Santo, representada pelo óleo, é derramada para dar poder para o serviço àqueles que são justificados pelo sangue de Jesus.

É significativo o fato de que Deus instruiu Moisés a colocar o sangue na orelha direita, no polegar direito e no dedão direito, porque na Bíblia o lado direito significa o lado do poder e da força. Era uma cerimônia que tinha um significado e que transmite uma mensagem para nós hoje. A orelha era ungida para que o sacerdote pudesse ouvir claramente e não ser enganado, o polegar era ungido para que aquilo onde ele colocasse sua mão para fazer fosse certo e abençoado, e o dedão direito era ungido para que onde quer que ele fosse, fosse correto e santificado. Este é o desejo de Deus para cada um de nós.

Podemos ouvir, agir e seguir em direções seguras e divinamente conduzidas. Assim como Arão e seus filhos foram separados para serem usados por Deus, nós, crentes, somos separados para o serviço santo também. O sangue de Cristo nos santifica para servirmos ao Senhor, e o Espírito Santo nos dá poder para realizar boas obras.

OUVIDOS SANTIFICADOS OUVEM O PLANO DE DEUS

Precisamos despertar para a esfera espiritual de nossas vidas. Precisamos nos sentir mais à vontade tendo comunhão com o Espírito Santo e ouvindo o que Ele tem a nos dizer. Muitas pessoas ainda não entendem a obra do Espírito Santo em suas vidas. Elas podem ter curiosidade acerca do sobrenatural ou da esfera do desconhecido, mas se não sabem o que a Palavra de Deus diz, podem ser facilmente enganadas sobre o que realmente está acontecendo na esfera espiritual ao seu redor.

Tão certo quanto temos um corpo físico, também temos um corpo espiritual. Quando entendemos onde Deus está nos levando, isto nos ajuda a confiar nele para nos conduzir no caminho que devemos seguir. 1 Coríntios 15:39-42 explica que embora comecemos a vida em nosso corpo físico, ele um dia perecerá e entrará em decadência. Mas na qualidade de crentes nascidos de novo, nosso corpo espiritual será ressuscitado imperecível e imune à decadência.

Deus deixou a eternidade bem clara em Sua Palavra. Somos imortais através da nossa fé em Jesus Cristo, e passaremos mais tempo em nossos corpos espirituais no céu do que em nossos corpos físicos nesta vida. É sábio descobrir tanto quanto possível sobre a nossa vida espiritual em vez de nos preocuparmos com esta existência temporal na qual vivemos atualmente.

1 Coríntios 15:44 nos diz que um dia nossos corpos físicos, que foram semeados em desonra e humilhação, serão levantados em honra e glória. As nossas enfermidades e fraquezas serão ressuscitadas em força e abençoadas com poder.

Ele nos levará a colocar o nosso foco nas respostas de Deus, em vez de nos nossos problemas.

Embora tenha passado por tremendas provações e tribulações, Paulo não desanimou porque não olhava para as coisas que se podiam ver, mas para as que eram invisíveis (ver 2 Coríntios 4:18). Precisamos seguir o exemplo de Paulo. Em vez de olharmos para o que vemos ao nosso redor, precisamos olhar para o que o Espírito Santo está fazendo. Através de ouvidos santificados e circuncidados, Ele nos levará a colocar o nosso foco nas respostas de Deus, em vez de nos nossos problemas.

Duas pessoas podem ler a Palavra, e a pessoa que tem ouvidos carnais a ouvirá de forma diferente de uma pessoa que tem ouvidos circuncidados. Por exemplo, João nos diz: "Amado, oro para que você tenha boa saúde e tudo lhe corra bem, assim como vai bem a sua alma" (3 João 2).

Cristãos menos maduros e carnais (que ainda são seduzidos pelos prazeres e apetites físicos) podem se empolgar com a promessa de prosperidade e cura, porque isto é tudo que eles conseguem ouvir neste versículo. Eles pensam: *Uau! Glória a Deus! Ele quer que sejamos prósperos e tenhamos saúde!*

Mas os crentes maduros que têm os ouvidos santificados e que são sensíveis às intenções santas de Deus também ouvirão a parte do versículo que diz: "assim como vai bem a sua alma". Eles ouvem com entendimento que Deus vai lhes dar prosperidade e cura *em correlação* com a forma como suas almas estão prosperando.

Nos últimos anos, desenvolvi o hábito de parar com frequência para avaliar o que sinto em meu espírito. A nossa alma (ou mente) pode estar cheia de ansiedade; a nossa voz interior pode estar gritando e trazendo dúvida à nossa mente, como:

- Você não vai conseguir!
- Isto não vai dar certo!
- Esta ideia é estúpida!
- Ninguém se importa com o que você está fazendo!
- Você nem sequer está ouvindo a voz de Deus!
- Por que você não se senta e cala a boca?

Os pensamentos negativos podem esmurrar a nossa mente a ponto de querermos desistir. Mas se pararmos e perguntarmos: "Senhor, o que Tu tens a dizer a respeito disto?", lá no fundo do nosso espírito, onde o Espírito Santo habita, sentiremos a Sua resposta subindo com a fé, a promessa e a verdade que nos liberta de toda a ansiedade com a qual a nossa mente tem nos alimentado.

Lembro-me de um caso específico em que parar e avaliar o que o Espírito estava dizendo me ajudou muito. Eu havia terminado uma reunião e tinha trabalhado com afinco para garantir que ela fosse boa e útil para as pessoas. Embora elas parecessem ter gostado da reunião, eu continuava a ouvir em minha mente que "ninguém foi abençoado, e todos prefeririam nem ter vindo".

Eu me senti como um fracasso total, o que eu sabia que não era a vontade de Deus para mim, então fiquei quieta e em silêncio, ouvindo para ver o que o Espírito Santo revelaria em meu espírito. Instantaneamente ouvi a voz mansa e suave, aquele conhecimento que fica bem no fundo de nós, dizendo: "Se as pessoas não quisessem estar aqui, elas não teriam vindo; se elas não estivessem gostando, muitas delas teriam ido embora. Eu dei a você a mensagem, e nunca dou a ninguém nada ruim para pregar, portanto não permita que Satanás roube a alegria do seu trabalho".

A sua mente pode dizer: "Deus não ama você", mas se você ouvir o seu espírito através de ouvidos santificados, ouvirá: "Deus ama você incondicionalmente e tem um grande plano para a sua vida".

Ouvimos a Deus através do nosso espírito, e não através da nossa mente. Não é de admirar que Deus diga: "Aquietai-vos e sabei (reconhecei e entendei) que Eu Sou Deus" (Salmo 46:10, AMP).

Portanto, quando o diabo esmurra minha mente, meus sentimentos e minhas emoções com incredulidade e medo, fecho os olhos apenas por um minuto e digo: "Senhor, qual é a verdade?".

Então, eu simplesmente *sei*. Sei que não vou deixar de fazer o que Ele me disse para fazer. Sei que não vou abrir mão do plano que Ele colocou diante de mim. Sei que estou realmente ouvindo a voz de Deus. Sei que Deus me chamou e me ungiu, então prossigo para a linha de chegada.

À medida que você aprende a diferença entre as funções do seu espírito e as funções da sua alma e corpo, você descobrirá que é mais fácil discernir quando o diabo está tentando desgastar o seu entusiasmo, e quando você precisa reconstruir a sua energia através da comunhão com o Espírito Santo.

OUVIR E OBEDECER DETERMINA O NOSSO DESTINO ETERNO

A parte espiritual do homem vive para sempre, seja no céu ou no inferno. Viver no inferno é viver totalmente separado de Deus, o que seria a existência mais terrível. Não podemos compreender o quanto seria terrível viver totalmente separado da presença de Deus. Estar separado Dele significa estar totalmente desligado de qualquer forma de conforto, graça, provisão, proteção e, acima de tudo, íntima comunhão.

Até os incrédulos agora desfrutam de certa medida da presença de Deus na terra, embora eles não percebam isto. Mas no inferno não haverá nenhuma paz, apenas a solidão das trevas totais.

A eternidade é para sempre, e precisamos estar mais preocupados com a eternidade do que a maioria de nós parece estar neste instante. Um dia, a trombeta soará, e Jesus voltará para nos buscar (ver 1 Tessalonicenses 4:16-17). Então saberemos que o tempo que passamos buscando a presença Dele e conduzindo pessoas a Ele *agora*, terá valido a pena.

Não há nada que tenha maior valor no qual possamos investir o nosso tempo do que aprender a ouvir a voz de Deus falando ao nosso espírito. A Bíblia diz: "Pois a palavra de Deus é viva e eficaz, e mais afiada que qualquer espada de dois gumes; ela penetra até o ponto de dividir alma e espírito, juntas e medulas, e julga os pensamentos e intenções do coração" (Hebreus 4:12).

Quando Deus fala, Ele divide os pensamentos da nossa alma da verdade em nosso espírito e traz à vida os Seus propósitos em nós. Quando me tornei uma estudiosa da Palavra, não sabia quando eu estava agindo na alma e quando estava agindo no espírito. Eu não sabia quando estava agindo emocionalmente até que estudei a Palavra de Deus e aprendi a agir pela fé nas Suas promessas.

Quando queria algo, simplesmente tentava fazer aquilo acontecer. Eu tentava de todas as maneiras erradas. Se não estivesse conseguindo ter as coisas do meu jeito, eu fazia cara feia e dava um ataque. Às vezes, não falava com Dave por quatro dias seguidos, esperando manipulá-lo para que ele cedesse e me desse o que eu queria. Eu só me importava com o que *eu* queria. Eu era carnal, egoísta, egocêntrica, e extremamente infeliz porque estava ocupada exclusivamente comigo mesma.

Muitas pessoas entram em um relacionamento com Deus esperando que Ele lhes dê o que elas querem. Consequentemente, elas continuam sendo cristãos bebês a vida toda. Elas conseguem entrar "de raspão" pela porta do céu quando morrem, mas nunca têm vitória nesta vida porque não aprenderam a escutar a voz de Deus e a ouvir o que Ele deseja para elas.

Não podemos andar na carne e ter vitória ou sermos verdadeiramente felizes! Não podemos passar a nossa vida procurando satisfazer os nossos próprios apetites e ao mesmo tempo influenciar a vida de alguém de uma forma positiva. Isto não é possível. Se seguirmos a direção do Espírito Santo, não satisfaremos os desejos da nossa carne (ver Gálatas 5:16).

DEUS RESTAURA A NOSSA ALMA

Durante algum tempo, eu repreendi tudo que não queria porque achava que deveria vir do diabo. Eu repreendia até a minha capacidade de repreender ficar totalmente desgastada! Mas então descobri que muito do que eu estava tentando repreender provinha de Deus. Muitas das coisas que eu não gostava ou queria eram coisas que Deus havia permitido para o meu crescimento e desenvolvimento.

Muitos cristãos dizem: "Deus me falou", quando o que eles ouviram não veio absolutamente de Deus. É por isso que é tão importante saber se a voz que estamos ouvindo vem da nossa alma ou do nosso espírito.

O Salmo 23 diz que Deus restaura a nossa alma. A nossa alma é a nossa personalidade individual, que é livre para escolher aquilo em que vai acreditar. Processamos o conhecimento que adquirimos em nossa mente e tomamos decisões de acordo com o que cremos.

A nossa alma não nos diz o que Deus quer; ela só relata o que sabe sobre os nossos desejos. A nossa alma nos diz o que sentimos; o nosso espírito nos diz como Deus se sente. A nossa alma nos diz o que *nós* pensamos, e não o que Deus pensa. O que queremos, pensamos, e sentimos pode ser muito diferente do que Deus quer, pensa e sente. Mas quando nos comunicamos em nosso espírito com Deus, uma obra pode ser feita para transformar a nossa alma para pensar como Cristo. A nossa alma *precisa* ser renovada e refrigerada para pensar como a mente de Cristo.

Podemos permitir uma invasão do Espírito Santo em nossas vidas. Podemos ser tão cheios com o Espírito de Deus a ponto de permitirmos o Seu acesso a todos os compartimentos da nossa vida. Ele pode entrar em nossos pensamentos, emoções, e até na nossa

SANTIFIQUE OS SEUS OUVIDOS PARA O SENHOR

vontade. Para renovar os nossos pensamentos, precisamos de novas informações da Palavra de Deus e da Sua voz falando diretamente ao nosso espírito.

Filipenses 2 nos ensina a desenvolvermos a nossa salvação com temor e tremor, evitando tudo que possa ofender a Deus ou desacreditar o nome de Cristo (ver v. 12). Quando nossos sentimentos deliram cegamente, precisamos impedir que eles governem nossas vidas. Precisamos submeter a nossa vontade ao que Deus nos diz para fazer através da Sua Palavra a nós.

Se não sentimos vontade de ir à igreja, vamos assim mesmo. Se não sentimos vontade de dar aquela oferta de cem dólares que Deus nos disse para dar, damos assim mesmo. Se Deus nos diz para dar objetos que temos vontade de guardar, nós os entregamos com alegria. Descobri que se quiser ser feliz, e se quiser ter unção sobre minha vida, preciso ser obediente à voz de Deus. Nem sempre tenho de saber *por que* Deus quer que eu faça algo. Eu só preciso saber *o que* Ele me diz para fazer – e então fazer iss

Tudo o que Ele quer de nós é a nossa própria obediência.

"Andar no Espírito" é uma frase que os crentes carismáticos têm utilizado livremente nas últimas décadas. O que ela significa para mim é ouvir Deus falar e fazer o que Ele me disser para fazer. Podemos apontar o dedo quando vemos que outras pessoas não estão obedecendo a Deus, mas tudo o que Ele quer de nós é a nossa própria obediência.

Lembro-me de quando Deus começou a tratar comigo para ser mais paciente. Eu sabia que Ele queria que eu pedisse a Ele para operar mais paciência em mim, mas não queria orar por isso porque sabia o que aconteceria se o fizesse. Então eu disse: "Não, não vou orar por isso ainda". Eu era inteligente o bastante para entender que para desenvolver a paciência eu teria que passar por provações que eu não queria suportar.

Estávamos nos estágios finais de reforma de uma casa com cinquenta e dois anos de construção, e eu estava ansiosa por vê-la terminada, quando finalmente, em obediência à direção de Deus, pedi a Ele que me ensinasse a paciência. Orei para que Ele aperfeiçoasse a minha fé e me impedisse de deixar de ter qualquer coisa boa.

Naturalmente, precisávamos fechar a casa onde estávamos antes que pudéssemos nos mudar para a nossa nova casa; foi então que tudo começou a sair errado. Os empreiteiros não apareciam para terminar os projetos, enviaram-nos a pia e a mesa de cozinha erradas, entregaram móveis que não tínhamos escolhido. Tive muitas oportunidades de aprender a paciência naquelas últimas semanas antes que a casa ficasse pronta. Deus sabia que aquela era a oportunidade perfeita para que eu aprendesse a ser longânima.

Eu disse aos supervisores da obra: "É melhor vocês todos agradecerem por eu ser salva!" Minha alma estava sendo provocada! Parecia que todos na obra eram capazes de terminar o trabalho, mas eles simplesmente diziam: "Não podemos fazer nada. Estamos fazendo o possível. O problema é com a fábrica".

Foi muito difícil para mim ouvir aquilo. Minha alma precisava ser restaurada. Levamos muito mais tempo para nos acalmar do que para ficarmos irritados. Sou muito mais paciente agora do que costumava ser, mas naquela ocasião, eu desejei ter esperado até que a casa estivesse pronta antes de pedir a Deus para me ensinar sobre paciência! Deus fez um bom trabalho em mim. Mudei muito, mas aquilo desenvolveu minha alma além dos seus limites.

DEUS DESPERTA O NOSSO ESPÍRITO DENTRO DE NÓS

Nós nos comunicamos com Deus através do nosso espírito. Jesus disse que devemos adorar a Deus em espírito e em verdade (ver João 4:24). O nosso espírito sente intuitivamente a presença de Deus e recebe revelação quando há uma forma melhor de fazer alguma coisa.

A mente recebe conhecimento mental, mas o espírito recebe um senso mais profundo de conhecimento que muitas pessoas tentam descrever dizendo: "Simplesmente senti em meu coração". Há coisas que sabemos porque as aprendemos, mas também há coisas que sabemos sem que as tenhamos aprendido, porque o Espírito Santo as comunica a nós através do nosso próprio espírito. Por exemplo, às vezes, quando estou pregando, digo coisas nas quais não pensei

SANTIFIQUE OS SEUS OUVIDOS PARA O SENHOR

antes. Fico tão surpresa quanto todos os demais com a profunda sabedoria contida no ensinamento.

A nossa consciência também é parte do nosso homem espiritual. Quando o nosso espírito nasce para a consciência de Deus, podemos ter comunhão com Ele e receber respostas Dele através da nossa intuição e da nossa consciência. O nosso espírito e a nossa alma devem trabalhar juntos, e o corpo deve agir como servo de ambos.

Quando o corpo governa a mente e o espírito de uma pessoa, o plano de Deus para aquele indivíduo é virado de cabeça para baixo. Jesus disse: "Todos vocês devem ficar acordados (ter atenção cuidadosa, ser cautelosos e ativos) e vigiar e orar, para que não entrem em tentação. O espírito está pronto, mas a carne é fraca" (Mateus 26:41, AMP).

Jesus estava tentando fazer com que os discípulos orassem com Ele, mas eles adormeciam constantemente. Ele estava tentando prepará-los para a tentação que estava por vir. Ele estava dizendo: "Não durmam, orem! Vocês vão ser tentados além do que podem suportar se não orarem". Ele queria que Eles fizessem o que Ele estava fazendo.

Quando Jesus orou, um anjo veio e o fortaleceu em Seu espírito, capacitando-o a suportar a tentação que estava vindo contra Ele. Mas os discípulos não oraram, eles dormiram, e provaram que a carne é fraca.

O nosso espírito está disposto a fazer o que é certo, mas a nossa carne não vai nos ajudar. A nossa carne nos puxará para baixo se não orarmos e pedirmos a Deus para nos fortalecer em nosso espírito e para circuncidar nossos corações para resistirmos à tentação. Isaías 11:1-3 fala de Jesus, dizendo:

> Um ramo surgirá do tronco de Jessé, e das suas raízes brotará um renovo. O Espírito do Senhor repousará sobre Ele, o Espírito que dá sabedoria e entendimento, o Espírito que traz conselho e poder, o Espírito que dá conhecimento e temor do Senhor. E Ele se inspirará no temor do Senhor. Não julgará pela aparência, nem decidirá com base no que ouviu.

Jesus não tomava decisões de acordo com a forma como se sentia, pensava, ouvia ou via. Ele é Aquele que disse: "Meu Pai, se for possível, afasta de Mim este cálice; contudo, não seja como Eu quero, mas sim como Tu queres" (ver Mateus 26:38-39). Não se trata de que Ele não tivesse desejos assim como nós, mas Ele não andava segundo a Sua vontade (alma); Ele andava segundo o que Ele sabia que era certo em Seu Espírito.

Precisamos viver em uma esfera mais profunda do que nossos corpos, mais profunda do que nossas almas; precisamos viver no nosso lugar mais profundo – o nosso espírito, que pode se comunicar com o Espírito de Deus e ouvir com precisão o caminho que devemos seguir. Jesus tomava decisões com base nessa esfera espiritual. Nós temos problemas quando não tomamos decisões com base nessa esfera espiritual.

Precisamos viver em nosso lugar mais profundo – o nosso espírito.

As pessoas que gozam de uma vida abundante são aquelas que andam com Deus e que superam os problemas ouvindo o Espírito que fala em seu coração. Elas veem coisas no espírito, elas entendem a diferença entre os pensamentos em sua alma e a intuição em seu espírito. Cada vez mais, pouco a pouco, elas estão obedecendo ao Espírito de Deus e não cedendo aos desejos da sua carne, e estão desfrutando de vitória em sua vida diária por causa disso.

O único momento em que temos vitória é quando passamos por coisas e aprendemos a ouvir a voz de Deus. A vitória vem quando dizemos não à carne, morremos para o eu, e fazemos o que Deus nos disse para fazer – independente de como nos sentimos, e do que qualquer pessoa pense.

O salmista Davi nos ensinou a buscar a direção de Deus, dizendo: "De noite recordo minhas canções. O meu coração medita e o meu espírito pergunta..." (Salmo 77:6).

Na próxima vez que você tiver uma decisão a tomar, não tente entendê-la com a sua mente. Vá para algum lugar onde possa se aquietar e deixe que o seu espírito busque diligentemente a voz de Deus. Comprometa seus ouvidos, suas mãos, e seus pés a Ele em oração:

SANTIFIQUE OS SEUS OUVIDOS PARA O SENHOR

Senhor,

Peço-te que venhas ungir meus ouvidos para ouvir a Tua voz, que venhas ungir minhas mãos para trabalhar no Teu plano, que venhas ungir os meus pés para ir somente onde Tu me guiares. Santifica-me para o Teu propósito, e circuncida meu coração para desejar o que Tu desejas para mim. Amém.

QUESTÕES PARA REFLETIR

1. Existe alguma área em sua vida onde você planejou primeiro e depois pediu que Deus abençoasse a sua decisão? O que você acha que deveria fazer em resposta a este entendimento?

2. Qual a diferença entre o seu espírito e a sua alma? Você está vivendo de acordo com qual deles?

3. O que significa renovar e refrigerar o seu espírito? O seu espírito precisa ser renovado e refrigerado? De que maneiras você pode fazer isso?

4. Em que você baseia suas decisões? Nas suas emoções, na Palavra de Deus, no que as pessoas pensam, ou em uma combinação destas três coisas? Por quê?

5. Descreva uma vitória recente (de acordo com a definição de vitória que se encontra neste capítulo) que você teve em sua vida. Como você se sentiu?

6. Como você distingue entre conhecimento mental e um senso mais profundo de conhecimento em seu espírito? O que você é mais propenso a fazer?

7. O que você acha que Deus o está conduzindo a fazer em resposta a este capítulo?

Desfrute de uma Vida Guiada Pelo Espírito

Deus tem um plano tremendo para nos abençoar de forma radical e magnífica, mas para desfrutarmos plenamente do Seu plano, devemos obedecer a Ele de forma radical e magnífica. Precisamos da ajuda de Deus para ficarmos no caminho para as Suas bênçãos nos alcançarem. Deus sabe como nos derrubar se tiver que fazer isso, e todos os dias dou a Ele permissão para fazer exatamente isso comigo.

Deus coloca o Seu Espírito Santo em nós para nos conduzir à perfeita paz. Se estivermos dando ouvidos ao que nos dá paz, tomaremos decisões sábias. O apóstolo Paulo escreveu: "Tudo me é permitido, mas nem tudo convém. Tudo me é permitido, mas eu não deixarei que nada me domine" (1 Coríntios 6:12).

Há muitas coisas que *poderíamos* fazer, e Deus não diria nada a respeito. Referimo-nos a isto como a vontade permissiva de Deus. Ele não vai nos dar uma palavra divina sobre cada movimento que fazemos. Mas Ele sempre nos dará sabedoria se pedirmos a Sua opinião. Ele é fiel para encher nossos corações de paz quando estamos no caminho certo, e para retirar a paz de nós quando começamos a nos desviar.

Tenho uma personalidade forte. Por algum tempo, estive preocupada com o fato de que, embora eu quisesse obedecer a Deus, poderia nunca ser capaz de andar na Sua perfeita vontade. Mas Deus me mostrou que Ele me guardará na Sua perfeita vontade se eu orar e confiar nele. Se eu sair dos trilhos, Ele garantirá que eu volte para eles por Sua graça. Aprendi que podemos depender de Deus para nos ajudar a permanecer obedientes.

A nossa oração a cada manhã deveria ser algo assim:

Deus,

Quero andar na Tua perfeita vontade toda a minha vida. Não quero a Tua vontade permissiva; não quero fazer nada sem a Tua aprovação e a Tua bênção. Se eu tentar fazer alguma coisa que não seja o melhor para mim, por favor, deixe que eu sinta a hesitação em meu coração e uma pausa em meu espírito, para me manter no caminho para o Teu plano.

Ajuda-me a submeter-me a Ti.

Ajuda-me a não ter uma dura cerviz.

Ajuda-me a não ser obstinado.

Ajuda-me a não ter o coração endurecido.

Deus, quero que a Tua vontade opere totalmente em minha vida. Já experimentei os frutos da minha própria vontade o bastante para saber que se eu fizer as coisas do meu jeito, e não for isso o que Tu queres, as coisas vão dar errado. Estou disposto a obedecer-te, mas, por favor, ajuda-me a ouvir claramente o que Tu estás me dizendo para fazer. Amém.

Se orarmos assim, creio que Deus nos manterá na Sua perfeita vontade. Vivi a vida do meu jeito por tempo suficiente para saber que os meus planos não são tão recompensadores quanto os planos de Deus. Oro para que Ele não permita que eu sobreviva com nada que não seja a Sua vontade para mim.

Se estou orando por alguma coisa que não está claramente mencionada na Palavra de Deus, se estou enfrentando uma decisão a respeito da qual não consigo encontrar nenhum capítulo ou versículo para me orientar, então oro:

Deus,

Desejo isto, mas quero a Tua vontade mais do que a minha. Então, se meu pedido não está no Teu tempo, ou se o que estou pedindo não é o que Tu queres para mim, por favor, não me dês. Amém.

Podemos estar emocionalmente inclinados a fazer alguma coisa que parece ser de Deus, mas depois de algum tempo descobrir que talvez seja apenas uma boa ideia, que não pode dar certo sem o poder da unção de Deus. Mas Deus não é obrigado a terminar nada que Ele não tenha iniciado. Podemos orar sobre os projetos que começamos, mas não faz sentido ficarmos zangados com Deus se Ele não os completar para nós.

Deus não é obrigado a terminar nada que Ele não tenha iniciado.

A Bíblia diz que devemos colocar nossos olhos em Jesus, que é o Autor e Consumador da nossa fé (ver Hebreus 12:1-3). Se mantivermos nossos olhos em Jesus, e obedecermos à Sua voz, desfrutaremos das bênçãos magníficas da vida abundante que Ele prometeu. Ouvir Deus falar conosco é a maior bênção desta vida:

> Como é feliz o homem que acha a sabedoria, o homem que obtém entendimento, pois a sabedoria é mais proveitosa do que a prata e rende mais do que o ouro. É mais preciosa do que rubis; nada do que você possa desejar se compara a ela. Na mão direita, a sabedoria lhe garante vida longa; na mão esquerda, riquezas e honra. Os caminhos da sabedoria são caminhos agradáveis, e todas as suas veredas são paz (Provérbios 3:13-17).

DEUS O CONDUZIRÁ ÀS DECISÕES CERTAS

Quando damos ouvidos à direção de Deus, tomamos decisões sábias que conduzem a riquezas, honra, prazer, e paz. Em outras palavras, como eu disse, seremos radicalmente e extravagantemente abençoados. Depois que Dave e eu oramos para que Deus nos oriente, simplesmente usamos a sabedoria e o bom senso, tanto para questões menores quanto para as maiores.

A sabedoria sempre o conduzirá ao melhor de Deus. A sabedoria ensina que não conseguiremos manter nossos amigos se tentarmos controlar e dominar tudo que se passa na nossa vida e na vida deles. Você não conseguirá manter os seus amigos se falar mal deles pelas costas. A sabedoria diz: "Não diga coisas sobre os outros que você não gostaria que dissessem a seu respeito".

O bom senso o guiará nas questões financeiras. Você não se endividará se não gastar mais dinheiro do que ganha. Muitas pessoas nunca têm um ministério frutífero porque pensam que podem liderar um ministério sem bons princípios empresariais. O Espírito Santo não precisa falar em voz audível para nos dizer que não podemos permitir que saia mais dinheiro do que entra. Teremos problemas se fizermos isso.

A sabedoria não permitirá que comprometamos excessivamente o nosso tempo. Não importa o quanto estejamos ansiosos para resolver as coisas, precisamos dar um tempo e esperar em Deus até que Ele nos dê paz sobre o que devemos fazer ou não. Foi muito difícil para mim ao longo dos anos aprender a dizer *não* a oportunidades de ministrar, mas aprendi que não é sábio me desgastar tentando fazer tantas coisas a ponto de terminar não fazendo nada com qualidade.

Para Deus, qualidade é mais importante do que quantidade. Muitas vezes a sabedoria nos leva a dizer *não* a coisas às quais gostaríamos de dizer *sim*, e vice versa. A sabedoria pode nos levar a dizer *sim* a algo a que gostaríamos de dizer *não*. Se uma amiga me convida para fazer algo que é extremamente importante para ela, e eu já disse *não* a ela muitas vezes recentemente, mesmo que na verdade não queira aceitar o convite, pode ser sábio fazer isso se eu valorizo a sua amizade e quero mantê-la.

A sabedoria é nossa amiga; ela nos ajuda a não vivermos nos arrependendo. Creio que a coisa mais triste do mundo é chegar à velhice e olhar para trás recordando minha vida e não sentir nada além de arrependimento pelo que fiz ou pelo que não fiz. A sabedoria nos ajuda a fazer escolhas que mais tarde nos deixarão felizes. Sabedoria não tem nada a ver com emoção. Precisamos olhar além dos sentimentos para conhecermos a vontade de Deus.

Pedro não tinha certeza do que deveria fazer depois que Jesus ressuscitou e provou a ele e a seus discípulos que estava vivo. Então ele voltou para o que estava fazendo antes de encontrar Jesus, dizendo aos outros: "Vou pescar". Esta história está em João 21:2-18. Os

DESFRUTE DE UMA VIDA GUIADA PELO ESPÍRITO

outros decidiram acompanhá-lo. Eles pescaram a noite toda, mas não pegaram nada.

"Ao amanhecer, Jesus estava na praia, mas os discípulos não o reconheceram. Ele lhes perguntou: 'Filhos, vocês têm algo para comer?' Eles responderam que não" (vv. 4-5). As decisões emocionais geralmente nos deixam "sem pegar nada". Em outras palavras, elas não dão o tipo de resultado que pode nos satisfazer.

"Ele disse: 'Lancem a rede do lado direito do barco e vocês encontrarão'. Eles a lançaram, e não conseguiam recolher a rede, tal era a quantidade de peixes" (v. 6).

É interessante notar que Jesus não chamou os discípulos de homens, mas chamou-os de filhos. Ele lhes perguntou: "Vocês estão conseguindo alguma coisa nessa sua tentativa?" Esta é uma pergunta que poderíamos fazer a nós mesmos quando não temos frutos (ou peixes) para mostrar como resultado das nossas longas horas de trabalho.

Quando pescamos fora da vontade de Deus, isto equivale a pescar do lado errado do barco. Às vezes nos esforçamos, lutamos, trabalhamos, ficamos pressionados, tentando fazer algo grande acontecer. Tentamos mudar as coisas, ou mudar a nós mesmos, ou fazer com que o nosso ministério deslanche, ou cresça. Tentamos mudar o nosso cônjuge, ou até tentamos encontrar um cônjuge. Podemos trabalhar e trabalhar e trabalhar sem parar, e ainda não termos nada para mostrar como resultado do nosso trabalho.

> *As decisões emocionais geralmente nos deixam "sem pegar nada".*

Você pegou alguma coisa? Você conseguiu alguma coisa além de ficar esgotado? Se a sua resposta é não, você pode estar pescando do lado errado do barco. Se você ouvir a voz de Deus, Ele lhe dirá onde lançar a sua rede. Simplesmente ore:

Deus,
Seja o que for que Tu queres de mim, é isto que quero. Rendo minha vida a Ti.
Que a Tua vontade seja feita e não a minha.
Amém.

DEUS O CONDUZIRÁ ÀS BOAS OBRAS

"Depois de terem comido, perguntou Jesus a Simão Pedro: Simão, filho de João, amas-me mais do que estes outros? Ele respondeu: Sim, Senhor, tu sabes que te amo. Ele lhe disse: Apascenta os meus cordeiros" (João 21:15, ARA).

Por três vezes, Jesus perguntou a Pedro: "Tu me amas? Pedro, Tu me amas? Tu me amas, Pedro?" Finalmente, na terceira vez, Pedro ficou magoado porque Jesus continuava lhe perguntando a mesma coisa. Ele disse: "Sim, Senhor, Tu sabes que eu Te amo". Então descobrimos o motivo solene pelo qual Jesus estava fazendo esta pergunta a Pedro.

"Digo-lhe a verdade: Quando você era jovem, vestia-se e ia para onde queria; mas quando for velho, estenderá as mãos e outra pessoa o vestirá e o levará para onde você não deseja ir" (João 21:18).

Deus me desafiou com este versículo porque eu tinha o meu próprio plano e estava seguindo o meu próprio caminho. Se realmente desejamos a vontade perfeita de Deus, Ele pode nos pedir para fazer coisas que não queremos fazer. Se realmente o amamos, deixaremos que Ele faça as coisas do jeito Dele em nossas vidas.

Creio que Jesus estava nos mostrando que quando éramos cristãos novos, e menos maduros, íamos para onde queríamos. Na qualidade de cristãos bebês, fazíamos o que queríamos fazer. Mas à medida que amadurecemos, devemos estender nossas mãos e nos rendermos a Deus. Devemos estar dispostos a segui-lo a lugares onde talvez não queiramos ir.

Muitas mensagens podem ser extraídas deste texto. Se amamos a Jesus, o nosso ponto principal de obediência é cuidar daqueles a quem Ele ama. Nas Suas palavras a Pedro, Jesus estava dizendo a nós: "Se você Me ama, faça algo por outra pessoa, em Meu nome".

Jesus disse: "Se vocês Me amam, obedecerão aos Meus mandamentos" (João 14:15). Na mesma medida em que o amamos, nós lhe obedeceremos. Na mesma medida em que estivermos obedecendo a Deus, será o nosso amor por Ele. O nosso amor por Jesus cresce à medida que obedecemos a Ele.

Sou apaixonada por Jesus de uma forma radical e extravagante. Eu o amo mais do que amava quando coloquei a minha confiança nele

DESFRUTE DE UMA VIDA GUIADA PELO ESPÍRITO

pela primeira vez. Por amá-lo, estou disposta a obedecer a Ele, ainda que isto signifique sofrer na carne e não agradar a mim mesma.

> Portanto, uma vez que Cristo sofreu corporalmente, armem-se também do mesmo pensamento, pois Aquele que sofreu em Seu corpo rompeu com o pecado, para que, no tempo que lhe resta, não viva mais para satisfazer os maus desejos humanos, mas sim para fazer a vontade de Deus (1 Pedro 4:1-2).

É importante entender a diferença entre sofrer na carne e sofrer aflição demoníaca. Abrir mãos dos apetites egoístas da nossa carne não significa que devemos sofrer de enfermidades, doenças, e pobreza. Jesus morreu para nos libertar da maldição do pecado. Mas se não estivermos dispostos a sofrer na carne, jamais andaremos dentro da vontade de Deus.

Quando nos levantamos pela manhã, devemos nos preparar para o dia pensando com a mente de Cristo. Devemos firmar os nossos pensamentos em andarmos dentro da vontade de Deus o dia inteiro. Podemos até dizer a nós mesmos: "Mesmo que eu precise sofrer para fazer a vontade de Deus hoje, vou me decidir a obedecer".

Para realizar nossas boas intenções, devemos amar a Deus o suficiente para deixar que o amor de Deus governe o nosso dia. A Palavra diz: "Uma vez que Cristo sofreu corporalmente, armem-se também do mesmo pensamento" (ver 1 Pedro 4:1). Se você aprender a pensar assim, nunca mais desobedecerá a Deus deliberadamente.

DEUS FALARÁ CLARAMENTE PARA QUE VOCÊ NÃO TENHA DÚVIDAS

Deus falou ao Seu povo com instruções claras de Gênesis ao Apocalipse. As Suas primeiras palavras à humanidade foram cheias da promessa de bênçãos. Assim que criou o homem e a mulher, Ele os abençoou e disse: "Sejam férteis e multipliquem-se! Encham e subjuguem a terra! Dominem sobre os peixes do mar, sobre as aves do céu e sobre todos os animais que se movem pela terra" (Gênesis 1:28).

No primeiro capítulo do livro de Apocalipse, João escreveu que ouviu uma voz dizendo: "Eu Sou o Alfa e o Ômega, o Princípio e o Fim" (v. 8). Todo o livro de Apocalipse é um registro do que foi dito a João pelo Espírito de Deus.

Quando Saulo, que perseguia os cristãos, estava na estrada para Damasco, uma grande luz brilhou sobre ele (ver Atos 9). A voz do Senhor falou com ele dizendo: "Saulo, Saulo, por que me persegues?" E Saulo, que mais tarde teve o nome mudado para Paulo, disse imediatamente: "Senhor, o que queres que eu faça?" (ver vv. 4-6).

Não é difícil entender por que Deus escolheu Paulo para conduzir o restante de nós a uma caminhada de maturidade com Deus. Em primeiro lugar, Deus escolheu o pior pecador que Ele pôde encontrar para nos mostrar o que a graça realmente é. Convertendo Paulo, Deus demonstrou o Seu poder milagroso de nos colocar no caminho para as Suas bênçãos. Se Ele foi capaz de redirecionar Paulo, que estava tão longe da vontade perfeita de Deus, Ele também pode nos salvar dos nossos caminhos néscios.

Devemos amar a Deus o suficiente para deixar que o Seu amor governe o nosso dia.

Paulo era cheio de zelo religioso, mas estava perseguindo os cristãos! Ele era sincero, mas estava sinceramente errado. Ele acreditava sinceramente que estava prestando um serviço a Deus ao capturar e aprisionar os seguidores de Cristo. Assim que Jesus corrigiu Paulo, ele se submeteu e perguntou: "Senhor, o que queres que eu faça?".

Quando Deus fala conosco, Ele quer nos ouvir dizer: "Sim, Senhor, o Teu servo ouve. O que queres que eu faça?".

Deus nos diz claramente o que Ele quer que façamos na Sua Palavra. Se você quer ouvir Deus falar com você mais claramente, permaneça na Palavra. Ele falará com você através da Palavra escrita (*logos*). Ele iluminará as Escrituras que lhe darão palavras vivas de relevância (*rhema*) para lhe mostrar o que Ele quer que você saiba e faça.

Em algumas ocasiões, estava lendo a Bíblia para buscar direção, e um versículo pareceu iluminar toda a página. Então, aquele versículo respondeu especificamente à minha necessidade naquele momento.

A Palavra se tornou viva, cheia de significado, como se eu estivesse em uma conversa íntima com Deus.

Quanto mais você conhece a Palavra escrita, mais Ele pode lhe trazer à memória os versículos que você precisa para ter respostas ao longo do dia. As ideias, pensamentos, apelos e testemunhos interiores que mencionamos neste livro, sempre estarão alinhados com a Palavra escrita de Deus.

Um dia, estava emocionalmente magoada com alguma coisa que havia acontecido. Dave e eu havíamos sido tratados de forma injusta em uma determinada situação, e eu estava me sentindo por baixo por causa disso. Eu estava em um avião, portanto decidi ler a Bíblia. Quando a abri em Zacarias 9:12, as palavras pareceram saltar da página em minha direção. Ali diz: "Voltem à sua fortaleza, ó prisioneiros da esperança; pois hoje mesmo anuncio que restaurarei tudo em dobro para vocês".

Quando vi este versículo, minha fé subiu para um novo nível. Eu soube sem dúvida que Deus estava falando comigo sobre a situação. Eu soube que se eu não abrisse mão da esperança, se eu tivesse a atitude correta, veria o dia em que Deus me restituiria o dobro do que havia sido tirado de mim naquela situação.

Quase um ano depois, e até hoje, Deus fez uma obra extravagante e provou ser fiel à Sua promessa restaurando o dobro do que havia sido tomado de nós injustamente, e Ele o restituiu através das mesmas pessoas que haviam nos maltratado! A justiça de Deus é doce; não deixe de esperar por ela.

Jesus ensinou que o coração maduro é como uma boa terra que ouve a Palavra, a retém, e, por perseverar, produz uma colheita abundante (ver Lucas 8:15). O Espírito Santo sabe exatamente o que você precisa para renovar a sua esperança. Abri a Bíblia esperando obter uma palavra de Deus para me ajudar, mas Ele superou as minhas maiores expectativas não apenas me consolando, mas prometendo restaurar a minha perda. Esse versículo é a sua promessa também. Agarre-se à esperança na Palavra de Deus. Não deixe que as Suas promessas se percam por não saber o que Ele está dizendo. A fé vem por se ouvir a mensagem, e a mensagem é ouvida mediante a Palavra de Cristo (ver Romanos 10:17).

DEUS O CONDUZIRÁ ATRAVÉS DA PAZ

Anteriormente mencionei que Deus conduz o Seu povo através da paz, mas agora gostaria de explicar melhor este assunto simplesmente porque ele é muito importante. As pessoas que fazem coisas a respeito das quais não sentem paz vivem vidas infelizes e não têm êxito em nada. Siga a paz!

Deus conduz o Seu povo através da paz: "E a paz de Deus, que excede todo o entendimento, guardará o coração e a mente de vocês em Cristo Jesus" (Filipenses 4:7).

Se você estiver fazendo alguma coisa, como ver televisão, e de repente perder a paz com relação ao que está fazendo, você ouviu a voz de Deus. A falta de paz é Deus dizendo a você: "Desligue isso. Siga por outro caminho. Fuja do que está fazendo". A Palavra de Deus diz: "Acima de tudo, guarde o seu coração, pois dele depende toda a sua vida" (Provérbios 4:23).

Se não sentimos paz, não estamos obedecendo a Deus, porque devemos deixar que a paz de Deus governe como árbitro em nosso coração: "Que a paz de Cristo seja o juiz em seu coração, visto que vocês foram chamados para viver em paz, como membros de um só corpo. E sejam agradecidos" (Colossenses 3:15).

Se você perder a paz quando disser alguma coisa, Deus está falando com você. Você evitará muitos problemas se pedir desculpas imediatamente. Você pode dizer: "Sinto muito por ter dito isso. Eu estava errado; por favor, perdoe-me".

A qualquer momento em que perdemos a nossa paz, estamos ouvindo a voz de Deus. Amo o mover do sobrenatural, mas não há nada mais poderoso do que a bússola da paz em nosso coração. Deus nos conduzirá graciosamente através da paz. Siga-a: "Esforcem-se para viver em paz com todos e para serem santos; sem santidade ninguém verá o Senhor" (Hebreus 12:14).

DEUS O CONDUZIRÁ COM UMA VOZ MANSA E SUAVE

A voz audível de Deus não vem a nós com muita frequência. A principal forma pela qual ouvimos a Deus é através da Sua voz mansa e

DESFRUTE DE UMA VIDA GUIADA PELO ESPÍRITO

suave dentro de nós. A principal razão pela qual não o ouvimos é simplesmente porque estamos ocupados demais. Ele nos diz: "Aquietai-vos e sabei que Eu Sou Deus" (Salmo 46:10, ARA).

Mencionei anteriormente o momento em que Elias estava fugindo das ameaças de morte de Jezabel e precisava ouvir a Deus (ver 1 Reis 19). Elias era um grande homem de Deus, mas estava em uma situação desesperadora. Saber que este grande profeta de Deus era um ser humano que tinha uma natureza exatamente como a nossa tem a finalidade de nos confortar (ver Tiago 5:17). Ele tinha os mesmos sentimentos e afeições que nós temos e uma constituição exatamente como a nossa. No entanto, ele orou para que não chovesse, e não choveu por seis meses. Quando ele orou para que chovesse, choveu (ver vv. 17-18). Mas Elias terminou sentindo tanto medo que pediu ao Senhor que tirasse sua vida.

A história desse profeta nos mostra que não importa o quanto a nossa fé possa ser grande, ainda assim precisaremos ouvir a voz de Deus em algum momento de nossas vidas. Quando temos problemas, Deus virá e nos ajudará a voltarmos ao caminho certo, se desenvolvermos ouvidos treinados que ouçam a Sua voz. A história de Elias nos lembra de que Deus entende as nossas fraquezas, e que ainda que cometamos erros, ainda assim podemos fazer orações poderosas que Deus ouvirá:

> Depois se deitou debaixo da árvore e dormiu. De repente um anjo tocou nele e disse: "Levante-se e coma". Elias olhou ao redor e ali, junto à sua cabeça, havia um pão assado sobre brasas quentes e um jarro de água. Ele comeu, bebeu e deitou-se de novo. O anjo do Senhor voltou, tocou nele e disse: "Levante-se e coma, pois a sua viagem será muito longa". Então ele se levantou, comeu e bebeu. Fortalecido com aquela comida, viajou quarenta dias e quarenta noites, até chegar a Horebe, o monte de Deus. Ali entrou numa caverna e passou a noite. Ele respondeu: "Tenho sido muito zeloso pelo Senhor, o Deus dos Exércitos. Os israelitas rejeitaram a tua aliança, quebraram os teus altares, e mataram os teus profetas à espada. Sou o único que sobrou, e agora também estão procurando matar-me". O Senhor lhe disse: "Saia e fique no monte, na presença do Senhor,

pois o Senhor vai passar". Então veio um vento fortíssimo que separou os montes e esmigalhou as rochas diante do Senhor, mas o Senhor não estava no vento. Depois do vento houve um terremoto, mas o Senhor não estava no terremoto. Depois do terremoto houve um fogo, mas o Senhor não estava nele. E depois do fogo houve o murmúrio de uma brisa suave (1 Reis 19:5-12).

Quando Elias ouviu a voz, ele saiu da caverna. Deus perguntou a ele novamente: "O que você está fazendo aqui?".

Não sei exatamente o que o vento, o terremoto e o fogo representam, mas creio que existe uma boa possibilidade de que eles representem todo o reboliço que estava ocorrendo dentro de Elias. Imagino que sua mente estava tremendamente confusa, que suas emoções estivam caóticas, e que sua vontade estava angustiada.

Fico muito feliz por Deus ter resgatado Elias do seu sentimento de fracasso. Preciso dessa segurança também. Creio que um dos motivos pelos quais tantas pessoas me ouvem é porque admito todas as coisas erradas que faço, e as pessoas se identificam com alguém que comete erros. Quando há tumulto ao nosso redor, é muito difícil ouvirmos a voz de Deus.

Uma das coisas que acredito que seja um problema hoje em dia é o estilo de vida ocupado, apressado, frenético e estressante que as pessoas adotaram. Ouvir a Deus tornou-se um grande desafio por causa do excesso de atividades. Um dos maiores favores que você pode fazer a si mesmo é encontrar um lugar onde possa estar quieto e em silêncio.

FIQUE A SÓS COM DEUS

Ouvir a Deus exige solidão silenciosa. Se você realmente deseja ouvir a voz mansa e suave de Deus, você terá de ficar quieto. Você precisa ir a algum lugar e ficar a sós. Encontre uma caverna, como Elias encontrou, onde você possa simplesmente ficar quieto. Jesus disse: "Vá para o seu quarto, feche a porta" (ver Mateus 6:6).

Você precisa de períodos prolongados de silêncio para ouvir a Deus. Você precisa estar livre de distrações e interrupções. Não estou dizendo que você precisa disso o tempo todo, mas você precisa ter um tempo em que possa estar a sós com Deus. Caso contrário, você está perdendo o melhor de Deus para você.

Nos momentos a sós com Deus, Ele lhe dará uma visão de onde você precisa ir. À medida que você dá passos em direção ao seu destino, você precisa voltar a visitá-lo com frequência para aprender qual será o próximo passo.

Dave e eu temos escritórios em casa onde podemos orar e estudar. Todos os nossos filhos trabalham para nós no nosso escritório central, a apenas alguns minutos de nossa casa. Eles entram e saem de nossa casa com frequência quando precisam de alguma coisa. No nosso escritório central, os telefones tocam constantemente. A qualquer momento em que eu saia do escritório, há alguém ali precisando me fazer perguntas. Mesmo com dois escritórios, não tenho um lugar para ficar a sós e buscar a Deus sem interrupções.

Tive de encontrar um lugar onde posso ir e ninguém possa me encontrar. Dou a cerca de três pessoas o telefone de onde estou. Elas não me telefonam para nada que não seja uma emergência extrema.

Preciso estar a sós com Deus; às vezes tenho dois ou três dias a sós com Ele. Não posso cumprir o meu chamado sem esse tempo com Ele. Tenho um trabalho, um mandato de Deus de levar uma palavra a minha nação e ao mundo. Preciso ouvir a voz de Deus. Se eu não estiver a sós para dar a Ele o primeiro lugar em minha vida, não conseguirei ouvir a voz de Deus ou ser guiada pelo Espírito Santo. Preciso ter tempo para dar ao Senhor a minha atenção exclusiva.

Você não pode esperar até que o caos exija que você busque a Deus. Ninguém pode encontrar tempo para passar com Ele para você. Você precisa estar determinado e dizer às pessoas à sua volta: "Preciso estar a sós para buscar a Deus".

Eu costumava tentar encaixar Deus em todas as coisas malsucedidas que me mantinham ocupada. Um dos melhores conselhos que o Senhor me deu foi este: *"Não tente Me encaixar na sua programação; organize a sua programação ao redor de Mim"*. Tive de alterar completamente a minha abordagem e colocar Deus em primeiro lugar. Descobri que o que quer que ficasse sem ser feito, era porque simplesmente não precisava ser feito.

Quando estiver a sós com Deus, não pense nos seus problemas. Sente-se, aquiete-se, e responda à pergunta de Deus quando Ele lhe perguntar: "O que você está fazendo aqui?".

Diga a Ele que você quer saber o que Ele tem para a sua vida.

Peça a Ele para lhe dizer o que Ele quer que você faça.

Peça a Ele para lhe dizer o que Ele *não* quer que você faça.

Apresente-se a Deus e ouça. Você está honrando a Deus ao ir até Ele. Você *receberá* uma resposta Dele. Se você não o ouvir falar durante o seu tempo a sós com Ele, mantenha os ouvidos ligados no Seu trono, e nos dias que se seguirem, procure observar as formas pelas quais Ele está respondendo a você.

Uma jovem me disse: "Definitivamente não consigo entender Deus. Passei muitas horas orando, tentando obter uma palavra Dele, e Ele nunca me disse nada". Mas ela acrescentou: "Dois dias mais tarde, quando eu estava andando pela cozinha em direção à geladeira, Deus falou comigo sobre o que eu havia orado". Ela queria saber: "Por que Ele não me respondeu antes?".

Eu disse: "Não posso lhe dar essa resposta, mas se formos diligentes em buscar a Deus e mostrarmos a Ele que queremos a Sua vontade, Ele promete falar conosco. Pode não ser no nosso tempo, mas Ele falará conosco. Estou certa de que Deus não falará conosco se não passarmos tempo com Ele".

Creio que às vezes tentamos com muito esforço ouvir a voz de Deus. O que quero dizer é que na verdade queremos tanto ouvi-lo que ficamos tensos; deixamos que isto nos deixe ansiosos e quase temerosos de que Ele não fale ou que talvez não consigamos ouvi-lo. Este pode ser um dos motivos pelo qual muitas vezes o ouvimos depois que passamos algum tempo buscando a Sua presença. Mais tarde, estamos relaxados, tratando dos nossos afazeres normais, e Ele pode falar porque nesse momento podemos ouvi-lo.

Você ouvirá Deus falar em um momento de silêncio interior e exterior: "Uma voz atrás de você lhe dirá: 'Este é o caminho, siga-o'" (Isaías 30:21). Ele conduzirá o seu caminho um passo de cada vez.

O MAIOR DESEJO DE DEUS

O maior desejo de Deus para Seus filhos é que eles experimentem o Seu melhor nas suas vidas. Ele quer ter comunhão íntima conosco e ser convidado para entrar em cada área das nossas vidas. Ele quer falar conosco e nos conduzir em todas as nossas decisões pelo Seu Espírito.

É a vontade de Deus que o escutemos claramente. Ele não quer que vivamos cheios de confusão e medo. Devemos ser determinados, seguros e livres. Ele quer que cada um de nós cumpra o seu destino e ande na plenitude do Seu plano para nós.

Sim, podemos ouvir a Deus de uma forma pessoal e íntima. Ouça, este é o primeiro passo para ouvir a Sua voz. Volte seus ouvidos para Ele e fique quieto. Ele falará com você para lhe dizer que Ele o ama. Ele se importa com a sua vida e com o que você precisa. Deus quer atender às suas necessidades e fazer mais do que você poderia pensar ou imaginar para abençoá-lo abundantemente (ver Efésios 3:20). Ele jamais deixará ou abandonará você (ver Hebreus 13:5). Ouça-o e siga-o todos os dias de sua vida.

Ele conduzirá o seu caminho um passo de cada vez.

O maior desejo de Deus é ter um povo que o adore em Espírito e em verdade (ver João 4:23-24), que o siga e conheça a Sua voz (ver João 10:2-14). A profundidade do nosso relacionamento pessoal com Deus baseia-se na comunicação íntima com Ele. Ele fala conosco para que sejamos guiados, renovados, restaurados e tenhamos refrigério regularmente.

Romanos 14:7 nos ensina que o reino de Deus não é comida nem bebida, mas justiça, paz e alegria no Espírito Santo. Deus deseja que todos os Seus filhos desfrutem de uma vida que tenha um relacionamento correto com Ele através de Jesus Cristo, que eles tenham paz e alegria abundante. Esta vida está disponível a você, e eu o encorajo a não se contentar com nada menos do que isto.

Você é uma das ovelhas de Deus, e as ovelhas conhecem a voz do Pastor — elas não seguirão a voz de um estranho. Você pode ouvir a Deus, pois isso é parte da sua herança. Nunca acredite no contrário!

QUESTÕES PARA REFLETIR

1. Você está tentando pescar do lado errado do barco? Você está tentando fazer alguma coisa na sua própria força? Caso esteja, o que será necessário para que você obedeça à voz de Deus com relação a este assunto?

2. O que significa sofrer na carne? De que maneira você está sofrendo na carne neste instante?

3. Descreva um tempo em que a Palavra se tornou viva para você e respondeu diretamente uma pergunta específica sobre a qual você estava buscando a direção de Deus.

4. Você se sente guiado pela paz? Como? Dê um exemplo.

5. Quando e onde você encontra tempo e lugar onde possa ficar quieto e em silêncio para ouvir a Deus? Com que frequência você pode fazer isto? Você gostaria que isto acontecesse com mais frequência?

6. Peça a Deus para lhe dizer o que Ele quer que você faça. Peça a Deus para lhe dizer o que Ele não quer que você faça. Ouça. Anote o que Ele disser (observe que a resposta Dele pode não ser imediata).

7. O que significa adorar a Deus em espírito e em verdade?

8. O que você acredita que o Senhor está lhe direcionando a fazer em resposta a este capítulo?

NOTAS

CAPÍTULO 1

1. W. E. Vine, Merrill F. Unger, William White Jr., *Vine's Complete Expository Dictionary of Old and New Testament Words* (Nashville: Thomas Nelson, Inc., 1984, 1996), "New Testament Section," pg. 111, S.V. "COMFORT, COMFORTER, COMFORTLESS," A. Nouns. No. 5, *parakletos*.

2. Ibid.

CAPÍTULO 9

1. James Strong, "Hebrew and Chaldee Dictionary," *Strong's Exhaustive Concordance of the Bible* (Nashville: Abingdon, 1890), pg. 87, entrada número 5787, S.V. "blind", Isaiah 42:16, *ivver*, "blind (lit. ou fig)."

2. Strong, "Hebrew and Chaldee Dictionary," pg. 20, entrada número 982, S.V. "trust," Provérbios 3:5, *batach*, "ser corajoso (confiante, seguro)."

CAPÍTULO 11

1. Vine, "New Testament Section," pg. 401, S.V. "MEEK, MEEKNESS," B. Nouns. No. 1. *prautes*.

Sobre a Autora

Joyce Meyer é uma das líderes no ensino prático da Bíblia no mundo. Renomada autora de *best-sellers* pelo *New York Times*, seus livros ajudaram milhões de pessoas a encontrarem esperança e restauração através de Jesus Cristo.

Através dos *Ministérios Joyce Meyer*, ela ensina sobre centenas de assuntos, é autora de mais de 80 livros e realiza aproximadamente quinze conferências por ano. Até hoje, mais de doze milhões de seus livros foram distribuídos mundialmente, e em 2007 mais de três milhões de cópias foram vendidas. Joyce também tem um programa de TV e de rádio, *Desfrutando a Vida Diária*®, o qual é transmitido mundialmente para uma audiência potencial de três bilhões de pessoas. Acesse seus programas a qualquer hora no site www.joycemeyer.com.br

Após ter sofrido abuso sexual quando criança e a dor de um primeiro casamento emocionalmente abusivo, Joyce descobriu a liberdade de viver vitoriosamente aplicando a Palavra de Deus à sua vida, e deseja ajudar outras pessoas a fazerem o mesmo. Desde sua batalha contra um câncer no seio até as lutas da vida diária, Joyce Meyer fala de forma aberta e prática sobre sua experiência, para que outros possam aplicar o que ela aprendeu às suas vidas.

Ao longo dos anos, Deus tem dado a Joyce muitas oportunidades de compartilhar seu testemunho e a mensagem de mudança de vida do Evangelho. De fato, a revista *Time* a selecionou como uma das mais influentes líderes evangélicas dos Estados Unidos. Sua vida é um incrível testemunho do dinâmico e restaurador trabalho de Jesus Cristo. Ela crê e ensina que, independente do passado da pessoa ou dos erros cometidos, Deus tem um lugar para ela, e pode ajudá-la em seus caminhos para desfrutar a vida diária.

Joyce tem um merecido PhD em teologia pela Universidade Life Christian em Tampa, Flórida; um honorário doutorado em divindade pela Universidade Oral Roberts em Tulsa, Oklahoma; e um honorário doutorado em teologia sacra pela Universidade Grand Canyon em Phoenix, Arizona. Joyce e seu marido, Dave, são casados há mais de quarenta anos e são pais de quatro filhos adultos. Dave e Joyce Meyer vivem atualmente em St. Louis, Missouri.